devocional

mulheres enraizadas

Viviane Martinello

devocional mulheres enraizadas

Editora Vida
Rua Conde de Sarzedas, 246 — Liberdade
CEP 01512-070 — São Paulo, SP
Tel.: 0 xx 11 2618 7000
atendimento@editoravida.com.br
www.editoravida.com.br
@editora_vida /editoravida

Editora-chefe: Sarah Lucchini
Editora responsável: Sarah Lucchini
Equipe editorial: Judson Canto, Sônia Lula e Jacqueline Mattos
Revisão: Eliane Viza, Paulo Oliveira e Rosalice Gualberto
Revisão de provas: Eliane Viza e Rosalice Gualberto
Projeto gráfico, ilustrações e capa: Vinicius Lira
Diagramação: Claudia Fatel Lino e Patrícia Lino

MULHERES ENRAIZADAS

Todas as citações bíblicas e de terceiros foram adaptadas segundo o Acordo Ortográfico da Língua Portuguesa, assinado em 1990, em vigor desde janeiro de 2009.

As opiniões expressas nesta obra refletem o ponto de vista de seus autores e não são necessariamente equivalentes às da Editora Vida ou de sua equipe editorial.

Os nomes das pessoas citadas na obra foram alterados nos casos em que poderia surgir alguma situação embaraçosa.

Todos os grifos são do autor, exceto os indicados.

1. edição: set. 2023
1ª reimp.: set. 2023
2ª reimp.: jan. 2024
3ª reimp.: jan. 2024
4ª reimp.: jan. 2025

Dados Internacionais de Catalogação na Publicação (CIP)
(Câmara Brasileira do Livro, SP, Brasil)

Matinello, Viviane
Mulheres enraizadas / Viviane Matinello. — Guarulhos, SP: Editora Vida, 2023.

ISBN 978-65-5584-438-2
e-ISBN: 978-65-5584-437-5

1. Conduta de vida - Aspectos religiosos 2. Cristianismo 3. Fé (Cristianismo) 4. Graça (Teologia) - Ensino bíblico 5. Jesus Cristo - Ensinamentos 6. Vida cristã I. Título.

23-167183 CDD-232.954

Índice para catálogo sistemático:

1. Jesus Cristo : Ensinamentos : Cristianismo 232.954
Aline Graziele Benitez - Bibliotecária - CRB-1/3129

Dedico este livro a todas as mulheres apaixonadas por Jesus que anseiam aprofundar suas raízes em Cristo.

A concretização desta obra só foi
possível por meio da Graça constrangedora
e avassaladora de um Pai de amor.

Com carinho, ele cuida de nossas raízes
e não desiste de nós, mesmo nas estações mais
desafiadoras. Ele é o meu verdadeiro amor.

A nossa história se tornou um livro.

Obrigada, Papai!

SUMÁRIO

SEMANA 3

PRIMEIRO AS RAÍZES, DEPOIS OS FRUTOS: ACOSTUME-SE COM ESSA ORDEM

SEMANA 4

RAÍZES PODADAS

SEMANA 5

NUTRINDO SUAS RAÍZES

SEMANA 6

REDEFININDO O SUCESSO: CRESCENDO PARA BAIXO

SEMANA 7

MULHERES COM RAÍZES PROFUNDAS

SEMANA 8

RAÍZES CURADAS FRUTIFICAM

A HISTÓRIA POR TRÁS DA HISTÓRIA

POR QUE UM DEVOCIONAL SOBRE MULHERES ENRAIZADAS?

Lancei-me ao chão naquela manhã de verão intenso, em uma escola de despertamento pessoal da qual estava participando. Eram momentos de muita fome e sede pela presença de Deus. Nada me faria desistir de mergulhar nas águas do Espírito, visto estar confinada em um lugar com mais de duzentas pessoas, todas famintas por caminhar com Jesus em profundidade e entrega genuína.

O calor do clima se misturava com o do meu coração, que estava em chamas devido ao toque tão precioso do Espírito Santo, inundando espaços do meu ser que nunca haviam sido tocados. Áreas de destino e propósito descortinavam-se à minha frente. Como nunca, ouvi sua voz falando dentro de mim: "Filha, eu a amo, como amo. Trouxe você a este lugar para desvendar seu coração e iniciar um processo de cura. Quero que se afaste de todas as suas atividades ministeriais por um ano. Não há frutos em sua vida, andei ao redor de sua figueira, procurei por eles e não encontrei. Tenho em minhas mãos as ferramentas necessárias para lapidar você, expor suas raízes e curá-las".

O passado mal resolvido, com pecados não confessados, assolava-me. Eu precisava ser curada. Naquele momento, pensei não ser a voz de Deus que estava ouvindo em minha mente, mas assim como os discípulos a caminho de Emaús, meu coração queimava (cf. Lucas 24)! Não podia mais resistir ao chamado que recebia para entrar em um tempo de descanso. "Descansar?", pensava eu. Mas, semelhantemente ao vaso descrito no capítulo dezoito do livro de Jeremias, entrei na roda do oleiro e me encontrei nas mãos daquele a quem sempre sonhei entregar a minha vida.

Então a Palavra me encontrou:

> *"Um homem tinha uma figueira plantada em sua vinha. Foi procurar fruto nela, e não achou nenhum. Por isso disse ao que cuidava da vinha: 'Já faz três anos que venho procurar fruto nesta figueira e não acho. Corte-a! Por que deixá-la inutilizar a terra?'. Respondeu o homem: 'Senhor, deixe-a por mais um ano, e eu cavarei ao redor dela e a adubarei. Se der fruto no ano que vem, muito bem! Se não, corte-a.'" (Lucas 13.6-9)*

Naquela manhã, ela veio como flecha certeira em meu coração e, aliada ao direcionamento que Deus havia estabelecido dentro de mim, surgiu para confirmá-lo — e, mais do que isso, para me encaminhar a um novo tempo. Esse dia mudou a minha história e deu início a uma estação de cura e restauração como eu jamais havia experimentado. A Palavra tem o poder de nos guiar e estabelecer verdades dentro de nós; ela é a luz que ilumina o caminho. Quando meu coração foi tomado pela dúvida do que fazer naquele instante, ela veio e trouxe clareza, direção e segurança das quais precisava para continuar.

Existe uma relação entre esse trecho de Lucas 13 e a nossa vida — em todos os âmbitos. Nessa parábola, notamos um viticultor desapontado em suas expectativas e uma árvore estéril, sem frutos, ocupando o solo inutilmente. Muitas passagens bíblicas revelam Deus nos comparando a uma árvore frutífera, mas nunca a uma que apenas sirva de ornamento, pois aquelas que frutificam produzem sementes para a próxima geração. Somos geracionais, carregamos nações e propósitos eternos. O Senhor é um Deus geracional, porque tudo que faz tem uma continuidade, por isso é chamado de "Deus de Abraão, Isaque e Jacó". Ele nos chamou para acolhermos e darmos vida ao seu propósito. João 15.5 demonstra-nos isso claramente: "Eu sou a videira; vocês são os ramos. Se alguém permanecer em mim e eu nele, esse dá muito fruto; pois sem mim vocês não podem fazer coisa alguma".

Foi durante esse processo de transformação de Deus em minha vida, que entendi ser necessário parar momentaneamente de fazer coisas para ele, deixando-o tratar minhas motivações mais secretas, a fim de que eu pudesse aprender que "ser" é mais importante do que "fazer". Meu coração estava como aquela figueira descrita em Lucas 13.6: infértil, sem vida, sem verdade. Precisava desesperadamente que as doces mãos do jardineiro Jesus tocassem meu coração, minhas raízes e curassem minha esterilidade. Chorei por horas no chão quando entendi que o que eu oferecia eram folhas, e não frutos. Eu disponibilizava meus dons, meus talentos, mas nunca frutificava de fato.

As coisas que fazemos para o Senhor por meio de nossos dons e talentos podem até ser como folhas que servem de cura a outros, mas o nosso caráter e nossa forma de viver são os verdadeiros frutos que ele procura. Na minha caminhada com Deus, aprendi que frutificar não está relacionado com aquilo que faço, mas vem do mais íntimo do meu ser. Não são atividades religiosas, porque várias pessoas que conhecemos cumprem muitas tarefas desse tipo, mas não revelam frutos — são estéreis em suas comunidades, famílias e realizações.

Frutificar significa que sua vida, quando alguém provar dela, terá gosto de Jesus. Contudo, ele é o resultado de uma raiz que está suficientemente forte e madura. Por isso, carrego comigo um princípio importante: a raiz sempre é mais importante que a árvore. Uma fundação sempre será a responsável por aquilo que está suportando. Assim como essa verdade foi tão importante para redirecionar a minha caminhada, creio que realizará grandes mudanças em seu modo de viver, querida leitora. Porque, antes de nos tornarmos grandes árvores cheias de belos frutos, precisamos ser mulheres enraizadas.

INTRODUÇÃO

> *Eu sou a Videira, vocês são os ramos.*
> *Quando vocês estiverem unidos a mim e eu a vocês,*
> *num relacionamento íntimo e orgânico, não imaginam*
> *que colheita terão [...]. (João 15.5 – A Mensagem)*

As raízes definem uma árvore, assim como nosso interior determina o que viveremos no exterior. Você já teve a impressão de que sua vida estava paralisada ou infrutífera? Às vezes, olhamos para nós mesmas e constatamos que os frutos são tão diferentes daqueles que sonhávamos. Lutamos contra o desânimo, o medo, a inferioridade, a ira e a rejeição, e, muitas vezes, ficamos tão perdidas nesses sentimentos, que além de não conseguirmos encontrar uma saída, acabamos nos esquecendo de valorizar e celebrar o que temos e que já está em nossas mãos.

Talvez você esteja vivendo a falta de frutos, a esterilidade que a envolve em um mundo de questionamentos. Se você é uma das muitas mulheres que já receberam um diagnóstico médico de infertilidade, entenderá esse sentimento. Ou quem sabe esteja andando nos escombros daquilo que já foi um casamento, inundada em desapontamentos, frustrações e pavor de um futuro que não foi aquele planejado no altar. Apesar de estarmos, diversas vezes, apenas preocupadas com o que há de vir, os olhos do Senhor estão em nossas raízes, pois são elas que definem quais serão os nossos frutos e sua qualidade.

Falar sobre raízes é algo que move meu coração, faz parte de quem sou e da essência que está tão cravada dentro de mim. Digo isso, porque o processo das podas sobrenaturais a que minhas raízes foram submetidas para fazer a minha árvore frutificar outra vez foi intenso. A cada encontro minha alma era lapidada pelo amor de um Pai que nunca desiste de nós. Mesmo enquanto escrevo este devocional, percebo Deus mexendo em minhas raízes e falando comigo. É tão incrível como ele não só nos dá uma mensagem, mas faz da nossa vida a própria mensagem.

E é isso que o Senhor realizará em você ao longo destas páginas: "Porque já é manifesto que vós sois a carta de Cristo, ministrada por nós, e escrita, não com tinta, mas com o Espírito do Deus vivo, não em tábuas de pedra, mas nas tábuas de carne do coração" (2 Coríntios 3.3 – ACF). Mulher, chegou seu tempo de se tornar uma carta viva, que carrega a palavra do Evangelho. Dê liberdade para que Jesus comece a moldar seu interior ao longo desta leitura e abra espaço para o agir do Espírito Santo a partir de agora.

Rasgar meu coração neste livro não foi confortável. Mas aprendi que, na vulnerabilidade de nossas raízes, há cura – como ocorreu com aquele homem da mão atrofiada mencionado no capítulo seis do livro de Lucas, quando foi convidado por Jesus a ir para o centro da sinagoga (cf. Lucas 6.8); na exposição, a cura o encontrou. Nosso interior teme estar vulnerável, por vergonha ou medo da rejeição que enfrentaríamos se as pessoas soubessem realmente quem somos além das aparências, das redes sociais ou das nossas respostas superficiais de que "está tudo bem". Contudo, o nosso Pai não se surpreende, porque ele já conhece tudo e tem o desejo de jogar luz nas trevas, expor as nossas raízes e curar o nosso coração. Prepare-se, o dono do jardim está à sua espera. Você é dele, e ele fará tudo para curá-la. Não foi por acaso que este livro chegou às suas mãos agora.

Respire fundo, e continue a leitura. Existe cura e esperança adiante.

A HISTÓRIA DE UMA RAIZ FERIDA

SEMANA 1

DIA 01

TUDO COMEÇA COM UMA SEMENTE

> *Se o grão de trigo não cair na terra e não morrer, continuará ele só. Mas, se morrer, dará muito fruto. (João 12.24)*

Toda árvore, um dia, foi uma semente. Se observarmos qualquer planta, nos daremos conta de que ela iniciou com uma pequena semente. Mas qual é a história desse grão? Com que propósito foi plantado? Quem o semeou? No texto registrado no evangelho de João, Jesus nos revela os possíveis destinos de uma semente, mas se refere, acima de tudo, àquela que Deus plantou dentro de nós.

Portanto, se deseja saber para onde está indo e anseia entender o que está acontecendo hoje na sua vida, precisará lembrar-se da história da sua semente. Sugiro que faça isso agora. Não se preocupe: você não estará sozinha. Deus a ajudará nesse processo, e usará a semente como veículo para levá-la a essa compreensão. Contudo, antes de iniciar o exercício, necessitamos compreender o que é a semente.

Tudo o que Deus realiza traz a marca dele, o que significa dizer que os atos divinos em nós constituem uma semente. Ele consegue condensar nessa pequena estrutura um DNA dotado de um potencial gigantesco. É isto mesmo: o Senhor não nos dá nada pronto, mas nos capacita com certo poder — a semente —, que nós, por outro lado, temos a responsabilidade de cuidar se desejamos participar de seus propósitos. Um exemplo disso foi quando criou o jardim do Éden e comissionou Adão para cuidar dele, dar nome aos animais — e lançar outras sementes à terra.

O problema é que, ao olharmos para esse grão tão miúdo, nem sempre somos capazes de enxergar o poder incrível que ele carrega em si mesmo. É por esse motivo que o profeta nos aconselha a não desprezarmos os pequenos começos (Zacarias 4.10). Assim como a vida humana inicia com uma semente minúscula no ventre da mulher e a semente de um carvalho de vinte e cinco metros de altura e vinte toneladas não mede mais que três centímetros e não pesa mais que dez gramas, Deus pôs dentro de você e de mim um potencial imenso e desproporcional comparado ao tamanho da semente que carregamos. Portanto, não despreze a sementinha. Tudo começa com ela.

Também é essencial levar em conta que ela só irá se desenvolver no ambiente correto. Certa vez, visitei uma aldeia indígena e notei alguns colares feitos de sementes. Logo pensei: "Elas não deveriam estar expostas em um colar, e sim escondidas na terra" — afinal, a semente não é um fim em si mesma e, por essa razão, não produzirá nada se estiver pendurada no pescoço de alguém. Para dar início a algo grandioso, ela necessita ser plantada. Diante desse entendimento, eu lhe pergunto: onde está a sua semente, no colar ou na terra?

Algo crucial, nesse processo, é compreendermos que, uma vez semeado, o grãozinho precisa morrer para que todo o seu potencial se manifeste. E quando se dá esse óbito? No instante exato em que abrimos mão de quem sempre fomos para que floresça quem podemos vir a ser. Na verdade, ao entrar em contato com a terra, a semente parece morrer. Entretanto, o que acontece, de fato, é que, conforme o tempo passa, todo a sua capacidade vem para fora. Determinadas áreas da nossa vida são como a terra. Talvez você pense: "Isso vai me atolar, me esconder e me destruir", mas a realidade é que essa aparente "morte" é seu desenvolvimento, não o seu fim.

Talvez você seja uma mãe no puerpério ou alguém que vive em meio a conjunturas complexas no casamento e pense: "Isso vai me destroçar!". Não. Esta é a terra que Deus providenciou para desenvolver a semente que há dentro de você. Por isso, não pense que tudo está acabado: há muita vida e muito poder na sua semente, e tudo isso vai aflorar.

Gostaria que você trouxesse à memória agora a semente que foi: pense no seu histórico familiar, no dos seus pais e todas as circunstâncias pelas quais passou. Quem sabe você tenha vindo de um lar disfuncional e carregue uma semente cuja capacidade ainda desconheça. Por isso, quero encorajá-la a relembrar a história da sua origem.

Meu conselho é: não menospreze o lugar de onde veio. O próprio Jesus nasceu em uma manjedoura. Não despreze o seu histórico de vida, porque você foi planejada pelo Senhor. O salmo 139 nos relata que Deus nos "entreteceu" no ventre da nossa mãe. Você já viu um artesão trançando um tapete? É assim que fomos tecidas e moldadas pelas mãos do grande Artesão, que nada cria sem um propósito.

Portanto, mergulhe nessa busca para entender o princípio de sua história, e, assim, descobrir quem o Senhor deseja que você se torne. Lembre-se das palavras de Deus ao profeta: "Antes de formá-lo no ventre eu o escolhi; antes de você nascer, eu o separei" (Jeremias 1.5). Empreenda essa jornada com a convicção de que você é a semente que deu certo.

DIA
02

GALHOS *VERSUS* RAIZ

Ele será como uma árvore plantada junto às águas e que estende as suas raízes para o ribeiro. Ela não temerá quando chegar o calor, porque as suas folhas estão sempre verdes; não ficará ansiosa no ano da seca nem deixará de dar fruto. (Jeremias 17.8)

É natural lamentar diante de galhos sem fruto. É comum olharmos para os galhos e questionarmos o porquê da esterilidade visível e cruel que nos assalta. Mas o galho vazio é um sinalizador, como a febre no corpo humano. Se você está febril, é porque existe uma infecção a ser combatida. A preocupação, porém, não deve estar em baixar a temperatura corporal, e, sim, eliminar a infecção. A febre, portanto, é uma bênção, pois avisa que algo está errado conosco. Galhos sem frutos são sinalizadores de Deus. Apenas analisá-los e se queixar não resolve nada. É justamente por esse motivo que devemos sempre pôr o foco na raiz. Quem sabe Deus tenha permitido uma febre para nos consertar e nos fazer retornar ao propósito original? Talvez por isso você esteja com este devocional em mãos.

Observamos nas Escrituras algo inusitado sobre a trajetória do povo de Israel. O Senhor permitiu determinadas "febres" para que os hebreus tirassem o foco dos galhos e fixassem sua atenção na raiz. A caminhada no deserto era a febre da qual o povo precisava para que seu caráter fosse aferido por Deus, e, assim, fossem construídos de dentro para fora.

Da mesma maneira, precisamos tirar os olhos do que é superficial e direcioná-los para o que está por trás das aparências. Muitas situações que vivemos ou deixamos de viver dependem de um equilíbrio importantíssimo entre o que somos e o que deixamos transparecer.

É raro as pessoas enxergarem quem somos de fato. Quantas de nós já vivemos a experiência de conversar com alguém, explicar uma situação e rasgar o coração, sem sermos entendidas? Provavelmente, essa pessoa não conseguiu compreender quem somos pelo fato de não ter uma visão apurada das nossas raízes e enxergar apenas os galhos, ou, melhor dizendo, o que é visível.

Talvez algumas de nós estejamos enfrentando períodos de galhos sem frutos ou vivendo uma temporada de alto investimento nos galhos — ou seja, no que é aparente. Contudo, Deus não está muito preocupado com o que mostramos ao mundo. Na verdade, enquanto damos valor para os galhos — reputação, comportamento, *status* —, o Senhor está atento às nossas raízes — aquilo que ninguém é capaz de ver —, alertando-nos de que existe algo mais profundo que precisa de cuidados. De acordo com o texto de Jeremias 17, o galho não é o começo de tudo; ele é a resposta. No entanto, o início do processo, bem como sua profundidade, fica sob o encargo das raízes.

O livro de Apocalipse nos revela algo muito interessante: o remédio para curar as nações é providenciado pelas folhas da árvore da vida, não pelos frutos (cf. Apocalipse 22.2). Gosto muito da ideia de que não são nossos frutos que curam. Nesse sentido, você pode estar se questionando: "Mas os frutos são os meus presentes para Deus". De fato, ao se aproximar da nossa árvore ele vê paciência, bondade, longanimidade e todas as facetas do fruto do Espírito em nós, e certamente celebra: "Uau! Ela é mesmo parecida comigo!".

As folhas, por sua vez, correspondem ao que fazemos, os atos de serviço que dedicamos às pessoas. O problema é que costumamos buscar legitimidade pelo que fazemos, pelos resultados, pelo ministério, profissionalismo ou pela nossa reputação diante das pessoas, não por quem somos realmente.

Nossos galhos no *feed* das redes sociais podem aparentar abundância de frutos e folhas, mas a verdade é que muitas de nós estão tentando disfarçar a própria esterilidade. A passagem de Lucas 13 nos conta acerca de uma figueira sem frutos, embora estivesse cheia de folhas. Em outras palavras, a árvore procurava esconder a infertilidade por trás da folhagem. Muitas vezes, somos como essa figueira estéril: queremos fazer uso de folhas para camuflar a ausência de frutos.

A nossa predisposição em servir aos demais é, por vezes, complexa, pois trata-se mais de uma exibição de resultados, sem que haja a necessidade de dispor dos frutos verdadeiros. Há aqui, no entanto, uma verdade que não podemos obviar: os frutos de cada um devem ter Deus como destinatário, não as pessoas; eles são a prova de que a nossa vida de fato cumpre um propósito. Contudo, ainda que sejam essenciais, as folhas não são frutos.

Nesse caminho, é crucial não baixarmos a guarda e nem sermos guiados pelas aparências. Nenhum de nós está imune a isso. Até o profeta Samuel, certa vez, se deixou levar pelo exterior quando designado a escolher um rei para Israel. Deus teve de calibrar o seu olhar. Quem sabe, hoje, a sua perspectiva seja semelhante a de Samuel. O Senhor, porém, alerta: "Não veja como o homem vê. Estou lhe dando uma lupa gigante para que você possa enxergar mais profundamente".

Deus é o único que pode enxergar as nossas raízes e, portanto, o único que pode tratá-las. Somente aquele que nos criou tem autoridade para tocar e restaurar uma raiz ferida dentro de nós. Mas, para isso, ele deseja primeiramente nos revelar o estado delas.

DIA
03

LIDANDO COM A ESTERILIDADE

> *Permaneçam em mim, e eu permanecerei em vocês. Nenhum ramo pode dar fruto por si mesmo se não permanecer na videira. Vocês também não podem dar fruto se não permanecerem em mim. (João 15.4)*

Não conheço uma pessoa que nunca tenha lidado com a esterilidade em algum momento da vida. Quem nunca se deparou com uma realidade de galhos sem frutos? Em situações assim, a predisposição do ser humano é tentar fazer com as próprias mãos o que surge de forma natural. Lembra-se de Sara e Agar?

Você também já se feriu tentando frutificar por conta própria? Felizmente, conhecemos o Deus de milagres, que tudo pode realizar. Ele é capaz de criar, restaurar, trazer vida e até abrir a madre. Já vivi incontáveis milagres grandiosos e tenho a convicção de que você também já vivenciou os seus. Também sei que algumas estão experimentando um período de útero vazio, e para elas quero dizer: *o tempo da fertilidade vai chegar*.

No entanto, vale refletirmos: como lidamos com a esterilidade de madres vazias, ministérios inférteis e famílias quebradas? Geralmente, notamos três fatores em meio à esterilidade.

O primeiro deles é sentir vergonha. A vergonha teve origem no Éden. Quando o homem e a mulher desobedeceram a Deus, o sentimento deles foi de vergonha. Ao passarmos por um processo de esterilidade, também nos sentimos envergonhadas, porque somos consumidas por pensamentos, como: "Estou falhando! Sou seca! Estou vazia".

Por isso, quando olho para o meu passado, percebo como foi importante aprender a lidar com fases de esterilidade e entender que, apesar dos galhos sem frutos, Deus agia nas minhas raízes. Analisar e se abrir ao processo de restauração de suas raízes é apenas o início, um *start* para o que Deus deseja fazer. Seu anseio é enraizar você no propósito.

Talvez a sua árvore ministerial, familiar ou pessoal esteja muito seca e você não saiba como resolver a situação. Sara é um exemplo de alguém que não soube lidar com a esterilidade. Por desconhecer o dia e a hora em que a promessa de Deus se cumpriria por meio de sua vida, ela agiu exatamente como muitas de nós já fizemos: tentou, por conta própria, se desfazer do sentimento de vergonha, o que nos leva ao segundo resultado de quando enfrentamos a esterilidade.

O segundo fator é impor aos outros a nossa dor. Na ânsia por dissipar a vergonha da infertilidade, Sara chamou a escrava Agar e disse: "Vou lhe emprestar o meu marido. Assim, consigo gerar o que preciso — não em mim, mas em você". Quantas de nós lançamos sobre nossos filhos as nossas próprias lutas e sofrimentos? Pensamos: "Sou estéril, então meu filho vai gerar isso por mim". No entanto, não devemos impor aos outros a dor da nossa esterilidade; caso contrário, teremos de enfrentar "Agar" — alguém que se insurgirá contra nós quando tiver alcançado o que era nossa função ter gerado. Portanto, viva o seu tempo e o seu propósito e entregue o útero vazio a Deus, que é o único capaz de enxergar as raízes.

A história de Ana, por sua vez, é um contraponto ao que acabamos de ler; ela era alguém que não sabia lidar com a vergonha e dor, e por isso, correu para quem podia resolver seus problemas. Ana chorou sua infertilidade na presença do Senhor. Em outras palavras, ela fez a coisa certa no lugar certo. O resultado disso foi: uma mulher que aprendeu a encarar a esterilidade e a receber a fertilidade, pois, assim como havia entregado o útero vazio a Deus, mais tarde foi capaz de entregar Samuel nas mãos do Pai. Ela correu para a presença do Senhor na sua secura e não se deixou dominar pelo orgulho quando seu útero foi tocado por ele. Se aprendermos a lidar com a esterilidade do modo correto, saberemos fazer o mesmo com a fertilidade.

Quem não sabe lidar com a infertilidade não alcançará a maturidade nem terá raízes suficientes para sustentar o peso dos galhos cheios de frutos. Quantas pessoas não se perdem no processo de frutificação? Deus sabe o que faz.

O terceiro fator é a incompreensão dos demais. No período de infertilidade, Ana foi mal interpretada pelo sacerdote Eli. Do mesmo modo, muitas pessoas não nos entenderão, afinal a esterilidade é uma dor solitária; ter galhos sem frutos machuca.

O seu sofrimento, muito provavelmente, será confrontado com a fertilidade alheia, e isso ferirá você. Foi o que aconteceu com Ana, que se viu humilhada e machucada por sua rival, Penina. Contudo, Ana entendeu que sua bênção não podia parar nela mesma. Em meio a sua dor, essa mulher de Deus se posicionou com fé e compreendeu que a infertilidade era capaz de gerar dependência do Senhor, o alinhamento de sua perspectiva e o reconhecimento de que dele, por ele e para ele são todas as coisas.

Penina podia ter muitos filhos, mas usava-os para competir e ferir. Ana, em contrapartida, não usou Samuel para se exibir aos outros ou se vangloriar, mas o entregou ao Senhor.

Mulher, nunca se esqueça de que a esterilidade pode ser um presente em sua vida, mesmo que, por vezes, cause sofrimento. Esperar e perseverar são tarefas difíceis, mas é justamente essa temporada estéril que desafia a nossa capacidade de crer e nos revela — se permitirmos — ainda mais do caráter de nosso Deus. Permaneça firme. O Senhor não terminou a obra que começou em você.

DIA
04

A PALAVRA NOS ENCONTRA

> *A tua palavra é lâmpada que ilumina os meus passos e luz que clareia o meu caminho. (Salmos 119.105)*

No processo de cura das raízes, pode ser que você se sinta tentada a orientar-se pela palavra dos outros. Essa é uma batalha que todos iremos enfrentar. Muitos terão opiniões a seu respeito e lhe dirão o que fazer. Alguns deles estarão em sintonia com o seu coração, outros não. Entenda algo: algumas pessoas permanecerão em sua vida mesmo que não estejam sincronizadas ao que você está vivendo. Elas ficaram lá atrás, e as palavras delas estão com os ponteiros atrasados. São palavras que não têm conexão com o tempo de hoje. Seja como for, caminhar de acordo com as expectativas alheias não é fácil.

Costumo dizer que ter uma bússola é importante nessas horas. É por esse motivo que andar sob a orientação da Palavra de Deus é crucial em nossa jornada. Ela é luz para o nosso caminho. Você já acendeu a lanterna do celular em um lugar escuro para saber onde estava pisando? Guardadas

as devidas proporções, é o que a Bíblia faz: ilumina o terreno sob os nossos pés e mostra buracos ou obstáculos que podem nos levar ao tropeço ou queda. O contrário também é verdade: se caminhamos sem a luz das Escrituras, então significa que estamos sujeitas a cair em ciladas, a ser enganadas ou a nos perdermos pelo trajeto.

Mulher, é essencial que você crave uma verdade no seu coração, que é a base deste livro. Se possível, passe-a para o papel e cole em um lugar visível — no espelho do banheiro, na porta do armário ou da geladeira: *raízes não podem ser tratadas no escuro.*

A luz revela o que está oculto e escondido, e nenhum tratamento de raiz pode ser paliativo. Para isso, a Palavra de Deus, que é o fundamento do nosso edifício, precisa ter liberdade e acesso irrestrito para vasculhar cada fragmento do nosso ser.

Jesus contou, em Mateus 7.24-29, a parábola de duas casas, uma construída sobre a areia e outra sobre a rocha. Um de seus propósitos era demonstrar a importância dos alicerces sobre os quais edificamos, e como isso precisa ser um ponto de alerta em nossa vida. Sobre o que você tem construído os seus fundamentos? Onde estão fixadas as suas raízes? Na Palavra divina ou nas suas próprias vontades? Nas Escrituras ou na opinião alheia? Na Bíblia ou nos traumas do passado? Escolha sempre ficar com a Palavra de Deus. Algo que constantemente sinto o Senhor me relembrar é: "Não prossiga sem uma palavra minha".

Tenho o hábito de todo mês de janeiro — ou em períodos bem pontuais durante o ano — retirar-me para ouvir o que Deus tem a dizer, e pedir a ele direção para a próxima temporada, simplesmente porque não posso viver sem escutar sua voz e compreender com clareza que passos tenho de dar. Em uma dessas ocasiões, o Senhor me pediu uma exposição mais significativa. Sempre tive o instinto de me esconder, guardar e proteger. Eu não queria cometer o erro da rainha de Sabá e exibir algo além do necessário.

No entanto, o Senhor me fez lembrar de Daniel, que, apesar do decreto que proibia orações a qualquer deus e homem, que não fosse o rei Dario, abriu a janela e orou ao Deus de Israel. Naquele momento, entendi que deveria abrir a janela e expor o que acontecia dentro da nossa casa, porque esse passo de fé serviria de cura para outras famílias. No início, não foi simples. Contudo, esse movimento só aconteceu e teve êxito porque fomos confrontados com uma declaração de Deus, que nos capacitou, amparou e sustentou para essa ação. Isso foi há alguns anos, e até hoje eu e minha família nos emocionamos com alguns testemunhos gerados a partir da palavra que recebemos do Alto. Deus sempre respalda a sua palavra.

Por isso, desafio você, mulher, a permitir que a Palavra a encontre neste exato momento — e isso pode acontecer de maneiras incomuns e imprevisíveis, como uma mensagem despretensiosa de uma amiga nas redes sociais ou quando você abre as Escrituras tendo uma passagem específica no coração. O importante é que a Palavra de Deus a encontre, ilumine seu caminho e lhe dê sustentação. Esse encontro permitirá que você seja sacudida, curada e reativada pela ação poderosa das Escrituras combinada com a presença sublime do Espírito Santo. Acredite: quando essa junção ocorrer, você não apenas será preparada para uma nova estação, mas nunca mais será a mesma.

DIA
05

OS FRUTOS

Assim, pelos seus frutos vocês os reconhecerão! (Mateus 7.20)

Você é conhecido por seus frutos. Mais do que isso, Jesus afirmou que os frutos revelam a nossa identidade. É em razão disso que costumo sempre afirmar que eles pouco têm a ver com o que fazemos, e muito com quem somos de verdade. Não raramente cometemos o equívoco de pensar que os frutos representam sucesso: "Vejam quantos frutos aquela pessoa produziu!". Mas os frutos não são o que fazemos, e sim quem somos! Os bons frutos de uma árvore são resultado de uma raiz bem nutrida e alicerçada. Um caráter aprovado com frutos bons é consequência de uma vida plantada e enraizada em Jesus.

Por outro lado, na carta aos Gálatas, deparamo-nos também com as obras da carne, manifestas por meio da imoralidade sexual, impureza e libertinagem; idolatria e feitiçaria; ódio, discórdia, ciúmes, ira, egoísmo, dissensões, facções e inveja; embriaguez, orgias e coisas semelhantes. Aqueles que praticam essas coisas, já dizia a Palavra, não herdarão o Reino de Deus. Isso quer dizer que uma pessoa pode sim apresentar resultados enraizados na carnalidade, e, por isso mesmo, apresentar frutos podres.

O fruto do Espírito, por sua vez, "é amor, alegria, paz, paciência, amabilidade, bondade, fidelidade, mansidão e domínio próprio. Contra essas coisas não há lei". O fruto diz respeito ao caráter. É fácil falar em línguas no domingo; o difícil é guardar a língua na segunda-feira. Falar em línguas não revela a presença do fruto do Espírito, porque o verdadeiro fruto está vinculado a um caráter transformado. Se o caráter não foi modificado pelo Espírito Santo, de nada adianta ter o dom de línguas ou qualquer outro.

Acredito muito naquela máxima que diz: sua real identidade se manifesta quando ninguém está olhando. Em outras palavras, é bem pouco provável que as pessoas consigam, de fato, saber quem você é apenas por notarem sua eloquência ao ministrar ou pela sua aparente calma e doçura ao se relacionar com elas aos finais de semana. Somente o Senhor conhece o nosso coração e as nossas intenções. Só ele realmente sabe quem somos, o que pensamos e alimentamos em nosso interior. É por isso que ele se preocupa com o nosso caráter, e não apenas com o nosso comportamento. Afinal, o caráter de Cristo é como um fruto que não podemos falsear ou produzir por nós mesmos, enquanto o comportamento pode ser fingido e aprendido de acordo com a etiqueta ou o que for mais conveniente.

O Sermão do Monte nos ensina o padrão de caráter que devemos perseguir: Cristo. Ele é o nosso modelo perfeito, alguém puro, justo e que nos mostrou a forma correta de frutificar. Algo que compreendi ao longo da caminhada é que, estando a raiz ferida, poderá danificar tanto a árvore, de modo que a impeça de dar fruto ou o faça com baixa qualidade. O apóstolo Paulo afirma que, se não há a manifestação do fruto do Espírito, é porque imperam as obras da carne. Uma lei da vida é que colhemos o que plantamos; por isso, não é possível plantar amargura e colher alegria.

Isso significa que as obras da carne roubam o espaço do fruto do Espírito, e algo precisa ser feito. Se você não nutrir o seu espírito com a dádiva que vem do Alto, os atos carnais passarão a ocupar uma lacuna que

não lhes pertence. Naturalmente, esta não se trata de uma denúncia para desmascarar, ferir ou envergonhar você. O propósito dessas palavras é que você pare de olhar para os galhos sem frutos, para a febre e para os sintomas e passe a atacar a causa de modo definitivo.

Ainda assim, vale lembrar que Deus usa até mesmo o tempo da esterilidade para transformar você. Para isso, contudo, necessitamos de uma *metanoia*, ou seja, uma mudança de mentalidade que gere um arrependimento e produza transformação genuína. Portanto, tire alguns minutos ao fim deste devocional para analisar sua vida. Permita que o Espírito Santo a confronte em amor e revele o que precisa ser remodelado em seu interior. Abra espaço para que ele recalcule a rota de volta às raízes, a fim de que você seja curada e frutifique.

Pense nos frutos que você deseja produzir. Seria fidelidade, um fruto raro hoje em dia? Quem sabe a mansidão? Ou o domínio próprio? A falta de bons frutos indica que algo está errado na sua nutrição, no seu interior, naquele lugar que os demais não podem enxergar.

A verdade é que sempre podemos investir mais em nossa vida de intimidade com o Senhor, e se você se identifica, hoje, com esse contexto, quero convidá-la a se posicionar para mudar essa realidade. Sinto como se Deus nos desse um recado individualmente neste instante: "Vamos mergulhar nas suas raízes e iniciar um processo que só eu posso empreender".

Encerro a leitura de hoje com uma oração sobre uma raiz ferida:

> *Pai, toma-me pela mão, por favor, e leva-me às partes do meu coração que precisam ser restauradas pelo teu amor. Tentei agir do meu jeito, mas só produzi conflitos, dores e frustrações. Descobri que não sei conduzir a minha vida sem ti. O chamado que colocaste nas minhas mãos transformou-se no meu maior inimigo. Sinto-me como Marta: ansiosa, cansada e só. Guardo ressentimentos no coração e estou longe de ti. O orgulho quer me trancafiar na prisão do "o que vão pensar de mim?". Acuada, muitas vezes, é para lá que vou.*

Mas a humildade tem a chave. Sei que me olhas de longe e me convidas a desfrutar a liberdade de ser aceita por ti, ainda que isso me custe ser rejeitada pelos demais. Andar na verdade dói, mas não posso desejar outro caminho. Para onde irei, se só tu tens as palavras de vida eterna? Pois só em ti encontro a verdade e tudo mais que eu preciso.

Pai, desejei hoje passar pela fenda da rocha que Moisés provou. Desejei a brisa que salvou Elias de suas cavernas emocionais. Desejei o cetro de justiça de Ester. Desejei estar em Betel. Desejei caminhar no impossível a pés enxutos pelo meio do mar. Mas acabei te encontrando aqui, na minha casa. Descobri a fenda da rocha entre as panelas. Descobri a brisa no sorriso das minhas filhas. Enfim, descobri que estavas aqui. Obrigada por me levar a Betânia, por me permitir sentar à mesa contigo e me livrar do peso da religião e do medo do amanhã! Obrigada por Jesus, obrigada pelo Espírito Santo e obrigada por ser meu Pai! Em nome de Jesus, amém.

DIA 06

FUNDAMENTO SEGURO E PROPORCIONAL

Portanto, quem ouve estas minhas palavras e as pratica é como um homem prudente que construiu a sua casa sobre a rocha. (Mateus 7.24)

Todo propósito precisa de um fundamento. Infelizmente, é comum ver a nossa geração levantando paredes sem o devido fundamento, cujo resultado é o desmoronamento de sonhos, projetos, ministérios e famílias. Quando uma estrutura cai, ela gera feridas.

Por isso, mesmo quando há alicerce, o projeto precisa ser proporcional. Há alguns anos, decidimos acrescentar um andar à nossa casa, e ficamos surpresos quando o engenheiro nos informou que o fundamento não comportaria tal ampliação. A base fora calculada apenas para a casa original. Construir sobre aquele fundamento seria o mesmo que condenar a construção inteira. Igualmente, podemos desejar edificar famílias, igrejas e ministérios além da capacidade de resistência em que estão alicerçados.

Deus, em seu propósito para conosco, também leva em conta a capacidade do nosso fundamento. Na parábola dos talentos, estes foram distribuídos conforme a capacidade de cada trabalhador (cf. Mateus 25.14-30). Noé, no entanto, recebeu a incumbência de construir a arca; ele até poderia ter habilidades para o serviço, mas certamente não na magnitude que o projeto exigia. Então, nesse caso, qual foi o critério? O segredo estava no fato de ele caminhar com Deus. Esse era o verdadeiro fundamento daquele projeto.

Da mesma forma, Jesus nasceu de uma moça pura e simples que abraçou o propósito da maternidade e cumpriu a vontade do Pai. O alicerce no qual Maria estava amparada era suficiente para aquela missão. Deus sabia que poderia encontrar nela o temor do Senhor, a pureza, simplicidade e obediência indispensáveis para o que ele pretendia realizar — e esses eram alguns dos principais alicerces.

Diante disso, então, surge a dúvida: qual tem sido o fundamento da sua vida? Será que você tem um alicerce? Caso ele exista, comporta dois pavimentos ou apenas um? Qual é a capacidade de resistência desse fundamento? Em outras palavras, qual é o comprimento das suas raízes? Por acaso, a copa da sua árvore corresponde ao que está escondido na terra: à sua vida privada e ao seu caráter? Faça uma análise e verifique até que ponto existe equivalência entre ambas as partes.

Em um dos devocionais anteriores, mencionei acerca da tendência de demonstrar muito mais do que se é — e como isso ocorre com frequência nas redes sociais! Talvez você esteja empreendendo uma grande construção, mas, no fundo, sabe que o fundamento não tem a capacidade de resistir e tudo pode ir a pique uma hora ou outra. Quem sabe até essa construção já esteja condenada.

Não se desespere! Há algo especialmente belo que Deus tem o poder de realizar: reestruturar fundamentos e paredes, ainda que haja abalos e desconfortos durante o processo. Ele cuida da nossa sustentação, das nossas raízes.

Mulher, não se esqueça de que todo propósito precisa de um fundamento seguro e proporcional, e a Bíblia não esconde que fundamento é sinônimo de prática. É exatamente por essa razão que podemos interpretar o versículo de hoje da seguinte forma: a casa construída sobre a rocha é a de quem põe a Palavra em prática, e a da areia, a de quem não o faz.

É impossível ler a Escritura, decidir colocá-la em ação, e não colher frutos condizentes. Escolher se fundamentar na Rocha é o que fará total diferença na sua vida e em tudo o que você edificar.

SE AS RAÍZES ESTÃO BEM, TODO O RESTO ESTÁ BEM

> *Não se embriaguem com vinho, que leva à libertinagem, mas deixem-se encher pelo Espírito. (Efésios 5.18)*

Durante esta semana, destacamos a importância da raiz, afinal ela é a responsável por sustentar e nutrir a planta como um todo. Talvez, ao passear por um parque ou ao contemplar uma bela árvore pela janela, você nunca tenha parado para pensar nas raízes nem se dado conta de que a saúde daquela árvore se deve a elas. E isso nos leva ao versículo de hoje. Mas o que *embriaguez* ou *sobriedade* tem a ver com o tema da semana? A resposta é muito simples: trata-se de equilíbrio.

É a raiz que equilibra a árvore. A embriaguez leva ao desequilíbrio, e todo desequilíbrio conduz à queda. Homens e mulheres de Deus têm caído do lugar de autoridade em que o Senhor os estabeleceu porque lhes falta equilíbrio. Assim, uma caminhada que poderia ter êxito e reputação ilibada acaba sendo interrompida por atrasos, paradas e, em alguns casos, abandono completo.

Deus, no entanto, pode transformar as quedas em uma nova oportunidade e estação. "Estejam alertas e vigiem", diz o apóstolo (1 Pedro 5.8), porque a sobriedade e a vigilância são elementos que compõem o equilíbrio.

O senso comum prega que uma pessoa equilibrada e sóbria é aquela que possui estabilidade emocional ou é serena em seu modo de agir. Do ponto de vista espiritual, o equilíbrio resulta da obediência a Deus, mesmo sabendo que tal decisão pode arrancar pedaços de você. Reconhecer os erros, rasgar o coração, chorar, arrepender-se, voltar atrás, perdoar, pedir perdão, resolver conflitos e se permitir ser vulnerável são atitudes que fazem parte do exercício da obediência. Porque a verdade é que não basta ouvir a Deus sem que isso gere, por um lado, dores e perdas e, por outro, restituição e nova vida.

É comum nos sentirmos tentadas a fazer reformas e mudanças nas áreas mais visíveis. Gostamos de ostentar espiritualidade, mas nos esquecemos de que, ao obedecer ao Pai, talvez tenhamos que nos expor. Nesse processo, é possível que estejamos usando uma grande capa de santidade na tentativa de esconder uma carnalidade com a mesma proporção. Somos tentadas a viver uma vida superficial, a manter um relacionamento raso com Deus e a afogar nossas dores internas em prazeres que não conseguem aplacá-las.

O problema está na raiz, no fundamento. Agora, verdade seja dita: amamos escolher a cor das paredes, mas temos receio de mexer nos alicerces — como acontece quando se trata da nossa casa. Preferimos fugir dos abalos necessários e, desse modo, condenamos as estruturas emocionais, relacionais e espirituais.

Na próxima semana, vamos nos aprofundar nos tipos de solo nos quais as nossas raízes estão plantadas. Será pedagógico e crucial definir a qualidade da raiz, analisar os ambientes em que ela se encontra e entender a extração dos nutrientes do solo. Nas Escrituras, Deus conduz seu povo de um lado a outro. Como bem disse a Abraão: "Saia da sua terra, do meio dos seus parentes e da casa de seu pai, e *vá para a terra que eu lhe mostrarei*". É a respeito disso que discorreremos a seguir: as terras que o Senhor irá nos mostrar.

Quando Deus tirou Israel do Egito e os introduziu em Canaã, estava levando aquele povo para uma terra nova. Mulher, o meu desejo é que você entre nesta semana como alguém que considera as dificuldades e os desafios como oportunidades de crescimento, mudança e transformação. Lembre-se: Deus é com você. Ele deseja transformar suas raízes, e se você permitir, elas ficarão bem — e junto delas, todo o resto também.

SEMANA 1

A HISTÓRIA DE UMA RAIZ FERIDA

SEMEANDO

1 Você possui áreas específicas na sua vida que estão vazias de frutos? Quais são elas?

2 Qual devocional da semana mais impactou você? Por quê?

Filha, não importa o quanto você esteja cansada hoje, as minhas promessas não mudam. Eu sou o mesmo ontem, hoje e amanhã. Mesmo que se sinta desconectada de mim nestes dias, eu estou ligado a você. Nada poderá separá-la do meu amor. O que você pensa a respeito de si mesma, apesar da angústia a da opressão que esteja sentindo, não muda o meu desejo de ir ao seu socorro.

Eu não estou sujeito às instabilidades dos seus sentimentos ou às circunstâncias da sua vida. Sou especialista em acalmar tempestades. Eu sou Único, Inabalável e Imutável. Você pode até achar que acabou, mas eu digo que o fim é um convite para o novo que quero realizar em seu ser.

Junte a sua perspectiva com a minha, filha. Os meus pensamentos são mais altos que os seus.

Troque suas cargas pesadas por um relacionamento de amizade comigo, que convida você a uma caminhada humilde, mas cheia de virtudes:

> "Venham a mim, todos os que estão cansados e sobrecarregados, e eu lhes darei descanso. Tomem sobre vocês o meu jugo e aprendam de mim, pois sou manso e humilde de coração, e vocês encontrarão descanso para as suas almas. Pois o meu jugo é suave e o meu fardo é leve." (Mateus 11.28-30)

Procure, no meio do turbilhão do seu coração indeciso e enganado, olhar para mim e receber segurança e verdade. E assim, a tempestade interna se aquietará e você ouvirá: "Eu estou aqui!".

ONDE ESTÃO SUAS RAÍZES?

SEMANA 2

A ESSÊNCIA PERDIDA

> *Você abandonou o seu primeiro amor. Lembre-se de onde caiu! Arrependa-se e pratique as obras que praticava no princípio. (Apocalipse 2.4,5)*

Voltar atrás é difícil. Isso, porque costumamos associar essa decisão a um retrocesso. Pelo menos, sob a ótica humana. Pela perspectiva do Céu, você sai ganhando quando voltar atrás significa corrigir o rumo. O texto de Apocalipse nos lembra que algo se perdeu durante o trajeto e, para resgatar uma essência perdida, precisaremos empreender o caminho de volta. Observe, no entanto, que não estamos falando de correr para recuperar o tempo perdido. A questão não é a velocidade.

O que você costuma fazer quando perde algo dentro de casa? Certa vez, Jesus contou a parábola de uma mulher que tinha dez dracmas e perdeu uma delas. Talvez eu e você disséssemos: "Tudo bem. Ainda tenho nove, não vou despender tempo procurando apenas uma". Mas a mulher da narrativa deixou de lado todas as outras tarefas para procurar aquela moeda, porque, para ela, era essencial. Acredito muito que essa história seja uma

analogia, não ao dinheiro em si, mas ao que tem valor e que necessita ser protegido. Quando perdemos algo que faz parte da nossa essência, precisamos voltar para recuperá-lo.

Ao se comparar com outras pessoas, você talvez tenha se dado conta de que perdeu a própria essência, ou em outros termos, a singularidade que Deus pôs dentro de você. Talvez, por ter vergonha de expressar quem é agora, você esteja vivendo com máscaras. Então, precisa se lembrar "de onde caiu" e traçar o curso para resgatar a sua dracma perdida, como fez a personagem da parábola.

Que atitudes essa mulher teve para resgatar o que havia perdido? Primeiro, ela começou procurando dentro de casa, ou seja, onde suas raízes estavam fincadas. Se você perdeu a sua essência, saiba que isso aconteceu "dentro de casa", nas suas raízes. Hoje, sinto o Senhor lhe dizer: "Volte para as suas raízes, se quiser recuperar o que perdeu".

Em seguida, a mulher acendeu a candeia. Muito possivelmente, você sabe o que significa dar uma topada em alguma coisa numa sala escura por não achar o interruptor. Nenhuma busca deve ser empreendida às escuras, porque, além de a pessoa não encontrar nada, ainda corre o risco de se perder ou se machucar. Quem sabe você se sinta sem direção, ou mesmo ferida, por não ter acendido a candeia: pecados não confessados, segredos que nunca dividiu com ninguém, mentiras que soam como verdades. Caso não acenda a candeia, continuará no escuro.

A verdade é que precisamos de pessoas de confiança com as quais possamos nos abrir. A recomendação bíblica é: "Confessem os seus pecados uns aos outros" — não para serem perdoados, mas "para serem curados" (Tiago 5.16). Aperte o interruptor para que a luz irradie, e então começará a encontrar o que estava perdido no seu interior. O Inimigo da nossa alma se aproveita dos lugares escuros para nos roubar. No entanto, no momento em que você acender a luz, a escuridão será dissipada e já não haverá mais espaço para ela. Então, assim, a sua casa, que é o seu interior, desfrutará de transparência, verdade e luz.

Depois de acender a luz, a mulher pegou uma vassoura e começou a limpar a casa. Como em qualquer faxina, acabamos encontrando até mesmo o que, muitas vezes, não estávamos procurando. Quantas vezes limpamos um cômodo ou uma gaveta e achamos algo que já havíamos descartado. Além disso, quando nos propomos a limpar algum lugar, nós nos deparamos com objetos, caixas e papéis que devem ser jogados fora.

Nessa varredura interior, certamente, você perceberá pensamentos, sentimentos e conflitos não resolvidos que se acumularam com o tempo. Entre esses objetos, pode haver algo que tenha sido bom em outra época, mas que, neste momento, está fora de contexto e não se encaixa na sua estação. Livre-se disso também e aprenda que nem todo lixo é ruim em si mesmo. O importante nessa busca, portanto, é saber discernir que há objetos para serem encontrados e outros para serem descartados.

Por fim, a mulher encontrou a moeda! Que sensação de alívio é achar algo que considerávamos perdido! A nossa heroína toma a moeda na mão, reúne as amigas e vizinhas e diz: "'Alegrem-se comigo, pois encontrei minha moeda perdida'" (Lucas 15.9). Consigo facilmente compreender essa reação, afinal a perda da essência também significa a perda da alegria e da celebração. Quando, porém, reavemos a nossa singularidade, almejamos dividir essa vitória com as pessoas mais próximas.

Em contrapartida, essa história nos revela mais um ponto importante: a mulher não chamou as amigas para ajudá-la, porque há processos que cada uma de nós precisa atravessar sozinha. Nessa busca, você será a protagonista. E, quando finalmente encontrar o que estava procurando, será o momento de celebrar e dizer: "Alegrem-se comigo!".

Meu desejo é que você não apenas reencontre a sua essência e singularidade, mas também tenha com quem celebrar.

DIA
09

À BEIRA DO CAMINHO: O TERRENO DAS EMOÇÕES

> *O semeador saiu a semear. Enquanto lançava a semente, parte dela caiu à beira do caminho; foi pisada, e as aves do céu a comeram. (Lucas 8.5)*

A partir daqui, discorreremos sobre os tipos de solo — ou áreas de terreno — e sua relação direta com a saúde da árvore; para isso, nós nos voltaremos a uma das narrativas mais conhecidas de Jesus: a parábola do semeador. Essa história fascinante revela que, embora a semente seja exatamente a mesma, as características do terreno são um fator decisivo no resultado.

Nos próximos dias, conheceremos quatro categorias de solo, a fim de detectar em qual deles as nossas sementes e raízes estão plantadas. Hoje, trataremos do que o texto bíblico denomina "à beira do caminho", que acredito ser o terreno das emoções.

Segundo as palavras de Cristo, duas coisas acontecem com as sementes lançadas nesse tipo de terra: uma parte é pisada pelas pessoas e outra é comida pelas aves.

Em primeiro lugar, as sementes nesse tipo de solo são pisadas pelos que passam. À beira do caminho consiste em um lugar de passagem e trânsito, marcado por intensa movimentação de pessoas que albergam todo tipo de sentimentos e feridas emocionais. Os que transitam por esse local têm algo em comum: falta de compromisso com as sementes que foram lançadas ali; o objetivo delas é simplesmente utilitário, ou seja, fazer uso da estrada rumo ao seu destino.

A verdade é que as sementes lançadas à beira do caminho estão fora de um circuito de cuidado e proteção. Lembro-me de uma época em que Deus me orientou a fechar-me um pouco mais e estabelecer limites nos meus relacionamentos. Como sempre recebíamos muitas pessoas em casa, participávamos de inúmeras agendas e eventos, foi uma fase de feridas emocionais e sementes pisadas. Aquilo que era um projeto pequeno já morria antes de ser lançado pela intensa movimentação de pessoas em nossa plantação.

Não demorei para entender que a multidão não tem compromisso com as nossas emoções nem com as nossas sementes, de modo que tudo o que se encontra à beira do caminho pode vir a desmoronar. Por isso mesmo, você deve proteger as suas emoções da multidão. Isso também vale para as redes sociais. Cuidado com o que mostra para todo mundo.

Para ilustrar melhor o que estou dizendo, compartilho uma pequena história que ouvi há uns anos. Certo dia, uma enorme sequoia, atração de um grande parque, veio ao chão. Quem conhece essa espécie sabe que se

trata de árvores gigantescas. Entretanto, curiosamente, embora formem uma malha muito resistente, de maneira que uma queda é praticamente impensável, suas raízes não são profundas.

Alguns especialistas foram contratados para descobrir o que havia fragilizado aquelas raízes, e a conclusão foi simples: a movimentação humana no terreno em que a planta estava. O grande número de pessoas que andavam ao redor daquela árvore imensa acabou enfraquecendo suas raízes, até que estas perderam a capacidade de sustentá-la. O mesmo acontece quando há uma enorme movimentação em torno das nossas emoções: as raízes emocionais enfraquecem e podem nos fazer cair.

É por isso que acredito fortemente que Deus deseja levá-la a um período de cura nos seus relacionamentos e, se necessário, a uma transição ou "troca de mesas", exatamente como aconteceu com Daniel, que precisou abrir mão de se assentar com algumas pessoas e consumir certas comidas para resguardar um propósito que era muito maior.

Nesse processo, você aprenderá a controlar as emoções, porque elas, muitas vezes, não se contentam em ficar no banco de trás; querem assumir o volante. O problema é que costumam vaguear por aí, sem rumo. Acordamos felizes, mas, de repente, acontece algo à tarde, e as nossas emoções oscilam; no final do dia, o sentimento já é de derrota. Você necessita saber onde está agora e decidir para onde vai. Caso contrário, as suas emoções a farão se sentir em uma montanha-russa. Em outras palavras, não coloque o controle da sua vida nas mãos de sentimentos, pois isso seria o mesmo que jogar preciosas sementes à beira do caminho.

Em segundo lugar, as sementes à beira do caminho podem ser roubadas. E se existe uma área na qual isso pode acontecer é no âmbito emocional. Alguma vez você já se convenceu de que não tem valor? Já se sentiu rejeitada? Por acaso, já tentou ser querida e aceita, e se perdeu? É porque foi enganada e roubada do ponto de vista emocional.

Como lembram as Escrituras, o coração humano é enganoso. Portanto, não podemos nos permitir ser conduzidas por ele. Certamente, você já deve ter ouvido alguém dizer: “Se isso faz você feliz, então tudo bem. O importante é ser feliz!”. Muitas famílias estão sendo destruídas por mentiras como essas. O propósito de Deus não diz respeito à felicidade efêmera e circunstancial, e sim à plenitude e à alegria no Espírito.

Mulher, não permita que as sementes que Deus lançou na sua vida caiam no solo errado. Tenha paciência e se abra ao cultivo da terra do seu coração. Se você permitir que a semeadura caia à beira do caminho, as sementes não conseguirão crescer e frutificar; antes, serão pisoteadas ou roubadas. Definitivamente, esse não se trata de um terreno seguro. Portanto, deixo aqui um conselho: não permita que a preciosa semente caia no terreno inconstante e frágil das emoções. Pelo contrário, proteja-se emocionalmente!

DIA
10

AS PEDRAS: O TERRENO DA MENTE

Parte dela caiu sobre pedras e, quando germinou, as plantas secaram, porque não havia umidade. (Lucas 8.6)

O segundo terreno mencionado por Jesus em sua parábola é o pedregoso. Creio que esse tipo de solo pode ser compreendido como a mente humana. Pertencem a esse âmbito os pensamentos, as convicções e os conceitos. É na mente, não nas emoções, que são construídas as fortalezas mais resistentes, e, como sabemos, as fortificações são construídas com pedras.

A mente humana é tão incrível, que Salomão, um homem extremamente sábio, concluiu: "Como imagina em sua alma, assim ele é" (Provérbios 23.7 — ARA). Sim, você é aquilo que pensa. A Bíblia adverte sobre o perigo de termos uma mentalidade cauterizada e nos aconselha a submeter a Cristo todo pensamento, pois este se assemelha a uma pedra que precisa ser esmiuçada. Os pensamentos do ser humano podem chegar a se petrificar, por isso não se surpreenda se o Inimigo usar essas mesmas pedras para construir fortalezas na sua mente.

Agora, curiosamente, quando a semente de Deus cai em uma mente cauterizada e enrijecida, não demora a brotar. Jesus explicou aos discípulos que o solo rochoso representa aqueles que recebem a mensagem com alegria, cuja fé logo floresce, embora murche diante da primeira provação, por falta de raízes mais profundas. Desse modo, no instante em que a semente é lançada sobre a mente petrificada, os pensamentos não conseguem frutificar o que é de Deus.

A Bíblia, no entanto, ensina um segredo para vencer essa realidade: "Tudo o que for verdadeiro, tudo o que for nobre, tudo o que for correto, tudo o que for puro, tudo o que for amável, tudo o que for de boa fama, se houver algo de excelente ou digno de louvor, pensem nessas coisas" (Filipenses 4.8). Em outros termos, necessitamos agir segundo a "mente de Cristo" (1 Coríntios 2.16) e, ao mesmo tempo, desenvolver a constância nessa prática, não apenas com uma intensidade afobada, que é temporária, mas, buscando estabilidade para enraizar e frutificar.

Aqui faço uma observação: a constância se diferencia da intensidade no que se refere à força e frequência. Se você é o tipo de pessoa que começa com gás total, toda empolgada, e logo desanima, então é alguém intensa. Se, porém, não se abate quando o desânimo dá as caras, porque a sua mente tem um foco, então é uma pessoa constante.

Por esse motivo, Paulo, enquanto estava preso, disse: "Posso estar na prisão, mas estou assentado com Cristo nas regiões celestiais". Por meio dessa mentalidade e atitude, o apóstolo evitava que a preciosa semente que havia recebido de Deus caísse em terreno pedregoso, e mantinha o foco em Cristo, que em tudo foi tentado, mas venceu.

Os sofismas também são erigidos em solos rochosos, uma vez que são mentiras vestidas de verdade. Na prática, funcionam como uma espécie de vacina contra a realidade, o que significa dizer que a verdade não surte efeito em uma mente dominada por sofismas.

Estes, por sua vez, dão espaço a outro inimigo voraz destes últimos dias: a apostasia, que se assenta no trono dos sofismas e dali bombardeia sem cessar a mente humana. A questão hoje é: como você se protege desses ataques? Peça a Deus dia após dia: "Não permitas que a minha mente se torne um solo rochoso, Senhor". Além disso, pela graça divina, podemos contar com a ajuda de conselheiros e profissionais capazes de nos auxiliar a "remover as pedras", no caso de uma mentalidade enrijecida. Assim, passamos por um processo pessoal de demolição e reestruturação, no qual as fortalezas — cauterizações, sofismas, traumas, mentiras — são rompidas, dando lugar a uma mentalidade marcada por Cristo.

Em um de seus livros, Joyce Meyer[1] declara que a nossa mente é, de fato, um campo de batalha. Às vezes, recebemos uma mensagem com muita alegria, mas, ao processá-la, somos bombardeadas por pensamentos negativos, como: "Você não vai conseguir"; "Isso está além da sua capacidade" ou até mesmo por coisa pior.

Posso garantir que você não foi a única a passar por isso. Gideão teve a mente dominada por mentiras quando o Senhor o escolheu para libertar o povo de Israel da opressão dos midianitas. Naquela ocasião, a única resposta desse homem foi alegar que era o menor de sua família e que não tinha estrutura familiar para abraçar aquele propósito. Não obstante, o anjo que lhe trouxera a mensagem respondeu: "Eu estarei com você [nessa batalha]" (Juízes 6.16a, acréscimo da autora).

---

[1] MEYER, Joyce. **Campo de batalha da mente.** 1. ed. Belo Horizonte: Bello Publicações, 2009.

Mulher, sinto o Senhor lhe dizendo agora: "Desejo que a sua mente seja um lugar de raízes profundas, onde eu possa plantar a minha Palavra e a minha vontade". Para isso, ore com base na oração de Davi: "Sonda-me, ó Deus, e conhece o meu coração, prova-me e conhece os meus pensamentos; vê se há em mim algum caminho mau e guia-me pelo caminho eterno" (Salmos 139, ARA).

DIA
11

OS ESPINHOS: O TERRENO DA CARNE

"Outra parte caiu entre espinhos, que cresceram com ela e sufocaram as plantas. (Lucas 8. 7)"

Eis o dia de tratar do solo com espinhos. "Mas que terreno é esse?", talvez você se pergunte. Acredito que essa terra represente os desejos e os anseios da natureza humana — por mais controverso que possa soar, afinal os espinhos são pontiagudos, duros e facilmente podem ferir. De forma metafórica, quando nos referimos a eles, fazemos menção a situações difíceis, intrigas, distanciamento, dores e tudo o que pode nos afetar quando tocadas por seu ferrão.

Aprendemos na Bíblia que a carne busca os próprios interesses e luta contra o espírito. Como é próprio da natureza humana, o que é produzido pela carne pode destruir não apenas a nossa vida, mas a de todos que estão ao nosso redor. A semente que cai entre os espinhos simboliza a mensagem recebida, que logo é sufocada pelas preocupações, riquezas e prazeres da vida, de modo que nunca chega a maturar.

Tal falta de amadurecimento pode ser vista com nitidez em nossa geração, que é altamente hedonista e obcecada pelo prazer. A regra vigente afirma, por exemplo: "Quero ter prazer; não importa se vou romper uma aliança ou ferir alguém". Esse é o motivo pelo qual vemos tantas crianças e jovens com pouca tolerância à frustração, ao mesmo tempo que nos deparamos com homens e mulheres de quarenta anos que se comportam como se tivessem doze, caso algum prazer lhes seja negado.

As ocupações, inquietações da vida, imaturidade e afastamento de Deus têm destruído casamentos, ministérios e chamados. Muitos estão cansados e sufocados; pessoas cuja semente interior não amadurece nem alcança o crescimento planejado. Como alertam as Escrituras, vivemos em uma época de indivíduos viciados em prazer e amantes de si mesmos (cf. 2 Timóteo 3.2). Isso é algo contra o qual devemos lutar. Não por acaso, se você se atentar apenas em nutrir a sua natureza humana e em satisfazer os desejos da carne, acontecerá o inevitável: autodestruição. Isso porque em torno dessas inquietações circulam a inveja, o medo, a arrogância, a fixação pelo sucesso, o ego — vícios tão próprios do nosso tempo, que, pouco a pouco, sufocam a semente.

Esse ciclo de preocupações e pecados mantém a pessoa ocupada, como se estivesse em um balanço — apesar da movimentação, não sai do lugar. Isso significa que a natureza carnal tem o poder de manter homens e mulheres ocupados sem que, de verdade, façam algo útil.

Pare e pense: se você fosse correr uma maratona daqui a seis meses, o que deveria fazer hoje, amanhã e nos próximos dias? Obviamente, treinar para a corrida. No entanto, nenhuma preparação física é prazerosa. Os músculos doem, os nervos reclamam, e você, quem sabe, terá cãibras, mas tudo isso faz parte de um objetivo mais amplo.

A nossa natureza negligencia todo tipo de treino e sacrifício; por outro lado, para viver integralmente com Deus e evitar que algumas sementes caiam sobre pedras, você precisará "esmurrar o seu corpo", como Paulo diz em 1 Coríntios 9.27.

Mulher, os espinhos nos sufocam e não permitem o nosso crescimento; isso sem contar que os ferrões nos tiram a beleza de viver. Talvez seja em razão disso que o Senhor esteja levando você a uma estação de simplicidade e menos exposição ao prazer, na qual a semente conseguirá respirar e, finalmente, terá alívio, paz e tranquilidade para se desenvolver de modo saudável.

Tenha em mente que o maior presente que Deus pode nos dar é sua presença. Ele é o único que tem o poder de satisfazer a nossa alma. Por isso, não permita que os espinhos da sua carnalidade batalhem contra a Presença e sufoquem a sua raiz. Posicione-se!

DIA
12

A TERRA BOA: O TERRENO DO ESPÍRITO

Outra ainda caiu em boa terra. Cresceu e deu boa colheita, a cem por um. (Lucas 8.8)

Chegou o terreno tão esperado, a terra boa. No entanto, sugiro guardar esse sorriso, porque esse tipo de solo requer muito trabalho e está bem distante dos outros que acabamos de ler nos três dias anteriores. O preparo de um excelente solo exige que este se permita ser rasgado. Certamente, a terra não nasceu preparada, mas foi mexida e aprontada por alguém que sabe manejar com maestria as ferramentas corretas. É o que a presença do Espírito Santo faz em nós: ele prepara a terra do nosso coração.

Amo um texto bíblico, no qual o Senhor afirma que não sente falta do templo de Salomão, mas tem saudade da "tenda caída de Davi" (Atos 15.16). Essa tenda aponta para nós. Somos simples, pequenas, mas carregamos

uma preciosidade de valor inestimável. Deus é especialista em guardar tesouros em vasos de barro para que a excelência não seja do vaso, e sim do conteúdo. Foi essa também a experiência do jumentinho que carregou Jesus na entrada triunfal em Jerusalém. Os aplausos e os gritos de "Hosana!" não foram para o pequeno animal, mas para aquele que era transportado.

Não se trata de quem somos, do material de que somos feitas — até porque a nossa composição é barro —, e sim de quem está dentro de nós. A terra boa guarda certa semelhança com essa imagem, pois também recebe um conteúdo divino: a semente.

Antes, porém, de iniciar o processo, o Espírito Santo, geralmente, nos faz passar por uma entrevista interessante:

— Posso trabalhar em você?
— Que nível de renúncia você está disposta a fazer?
— Posso ofender a sua mente para atingir o seu coração?
— Você me permite entrar e pôr ordem aí dentro?

Digo isso, porque, se você permitir, o arado passará no solo do seu coração, e depois não adianta reclamar que não foi avisada. O arado é aquela bendita ferramenta com garras que abre sulcos na terra, a fim de prepará-la para ser cultivada e receber as sementes.

Não sei se você já viu um terreno cultivado; eu já me deparei com alguns deles e sempre fico impressionada com a disposição. Isso me faz pensar que a terra boa também é um ambiente organizado, pois Deus age com o intuito de estabelecer a ordem. Antes de realizar o milagre da multiplicação dos pães e peixes, por exemplo, Jesus pediu à multidão, composta de mais de cinco mil pessoas, que se sentasse em grupos de cinquenta e de cem. Igualmente, alguns milagres só terão espaço para acontecer se permitirmos que Deus organize o nosso interior.

Por fim, a terra boa, após passar pelo processo do arado, recebe a semente de forma sistematizada e ordenada, cujo resultado será surpreendente. Tal disposição também flui da Trindade, que apesar da faceta criativa, age sempre pautada pela ordenação das coisas. São eles que organizam os nossos sentimentos e pensamentos e trazem equilíbrio à nossa natureza. Eles também estabelecem justiça e verdade em nossos dias, colocam ordem em nosso interior e nos alinham ao prumo do Céu. Não se trata de mérito. Isso é o que chamamos de Graça. Graça de Deus.

Neste dia, sinto a mão poderosa do Senhor sobre você, na qual se vê escrito: "Graça". A Graça de Deus, que diz: "Quero trabalhar na sua terra". E este é o momento de você responder: "Sim, Senhor! Não vou fugir das dores necessárias, do que me empurra para o propósito e que me faz ser mais parecida contigo".

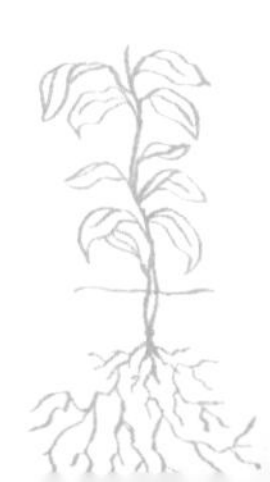

DIA
13

RAÍZES FAMILIARES

> *Haverá mãe que possa esquecer seu bebê que ainda mama e não ter compaixão do filho que gerou? Embora ela possa esquecê-lo, eu não me esquecerei de você! (Isaías 49.15)*

Raízes. É sobre esse tema que este livro trata. São elas que formam a visão que temos de nós mesmas, de casamento, marido, filhos e legado. Por essa razão, diz respeito diretamente à herança que recebemos dos nossos pais, e de seus efeitos duradouros, tanto positivos quanto negativos. Vejamos algumas influências das raízes familiares com as quais podemos lidar ao longo da vida e que precisam ser identificadas, a fim de serem curadas.

As raízes familiares são capazes de influenciar o nosso subconsciente. Não exagero quando digo que elas estão presentes até no seu jeito de fazer café ou quando diz frases como: "Não esqueça de levar a blusa", "Pegue o guarda-chuva, que vai chover!" ou "Menino, você não é todo mundo!". São tantas as ações automatizadas, fruto do nosso subconsciente, que elas nos parecem normais e verdadeiras.

Naturalmente, estou me referindo à sua primeira casa, à família na qual você cresceu e de onde veio — que designaremos de *família-semente*. Diferente desta, a segunda família seria aquela que você escolheu.

As raízes familiares influenciam o nosso comportamento e causam profundas feridas. Se uma pessoa teve problemas com a mãe, por exemplo, e esta falhou em exercer a maternidade de maneira adequada, ou até mesmo abandonou os filhos, podemos nos perguntar: "Pode uma mãe esquecer o filho que amamenta?". O amor materno é tão poderoso, que Deus utiliza esse sentimento de apego e proteção para expressar seu amor por nós. Tal analogia mostra quão improvável é que uma mãe se esqueça do filho, especialmente durante o processo de amamentação, pois seu corpo dispõe de um alerta que sempre a recordará dessa fase tão bela.

Ainda assim, a ferida causada pela figura materna, ou por sua ausência, pode gerar determinadas dificuldades nos relacionamentos. O filho ou filha pode ter se tornado uma pessoa com desconfiança crônica de tudo e de todos, que repele as expressões de carinho, uma vez que se defende de algo que nunca teve. Deus, entretanto, garante que, mesmo que a mãe ou o pai se esqueça de um filho ou de uma filha, ele jamais se esquecerá de nós.

Essa certeza reconfortante nos faz perceber que a nossa verdadeira raiz não está exclusivamente vinculada à figura materna ou paterna: a nossa raiz pode e deve estar em Deus, que assume a nossa paternidade e a responsabilidade de cuidar de nós.

As raízes familiares tocam as demais estruturas da nossa vida. Carregamos uma herança emocional que escorre para a área dos relacionamentos, para o modo como enxergamos o mundo, o que entendemos como o conceito de ser igreja e a vida íntima com Deus. Essa herança tanto pode reforçar quanto minar o que é de Deus em nós. Por isso, não há como negar a importância dessas raízes. Nesse caso, o problema maior não são as dificuldades, as circunstâncias ruins ou o sofrimento dos demais, e

sim como nos vemos e nos relacionamos com Deus tendo em vista o que herdamos dos nossos familiares. É imperativo que, hoje, aprendamos a redefinir o nosso presente e futuro assumindo posições de vitória e nos abrindo para a cura divina.

Hoje é dia de permitir que Deus cure as suas raízes familiares. Talvez o relacionamento com seus pais precise de restauração, e ele esteja instruindo você a pedir-lhes perdão. O Senhor está lhe dando a oportunidade de escolher perdoar àqueles que fizeram parte da sua constituição e criação, os quais, quem sabe, tenham ferido você, ou tenham sido feridos também por suas atitudes. Talvez você tenha sido uma filha desobediente e deva confessar aos seus pais: "Perdão pela filha que fui até aqui. Escolho ser alguém diferente a partir de agora".

Caso a sua raiz paterna ou materna seja saudável, você, provavelmente, vive um amor que independe do que faz ou do que é como filha e está sob uma autoridade amorosa que a capacita e lhe dá coragem para avançar — a coragem que faltava a Gideão, por pertencer a uma família disfuncional, que se considerava pequena demais. Mesmo assim, todas temos feridas para entregar aos pés da Cruz.

Seja qual for a sua realidade, hoje é dia de lembrar que Deus é Pai, e que a paternidade dele abraça você quaisquer que tenham sido as suas raízes familiares. Famílias saudáveis geram famílias saudáveis, e famílias disfuncionais, por sua vez, têm a tendência de gerar famílias disfuncionais. Se você veio de um lar desestruturado, é possível que esteja repetindo muitos erros e comportamentos nocivos em sua segunda família. No entanto, Deus está constantemente advertindo: "Não precisa ser assim! Quero curar as suas raízes familiares e mudar o rumo da sua geração".

Hoje também é dia de lembrar que Deus é o pai do órfão e o juiz da viúva. Ele faz o solitário habitar em família e diz às viúvas abandonadas: "O seu Criador é o seu marido" (Isaías 54.5). O desafio de hoje é que você seja o canal de restauração da raiz dessa árvore genealógica, a fim de que ela produza bênçãos "até mil gerações", como diz Jeremias.

Lembre-se de José do Egito e não perca tempo murmurando acerca do seu passado. Ele nos mostrou que é possível vir de um ambiente familiar cheio de inveja, brigas, mentiras, enganos e traições, e ser uma bênção não só para sua geração, mas para seu país e os próprios familiares que o rejeitaram e feriram.

Mulher, as suas feridas familiares não podem determinar o seu amanhã. O seu futuro depende da sua decisão e firmeza. Por isso, escolha deixar de caminhar com ferimentos. Feche o ciclo da ferida familiar, perdoe, libere e caminhe nos sonhos e propósitos que Deus tem para você. Seja livre!

DIA
14

AS DUAS TERRAS

É como árvore plantada à beira de águas correntes: dá fruto no tempo certo e suas folhas não murcham. (Salmos 1.3)

Chegamos ao final da segunda semana. Agora você entende que o terreno que recebe a semente deve e precisa ser preparado. Por certo, também aprendeu que a terra tem tanta importância para Deus, que ele preparou uma especialmente para o seu povo. Da mesma forma, o Senhor também separou e aprontou um solo rico e frutífero para você.

O versículo de hoje afirma que quem anda com Deus está plantado junto a ribeiros de águas. Trata-se de uma terra boa, cujo solo oferece todos os nutrientes necessários às raízes. Já reparou que as árvores estabelecidas à beira dos riachos apresentam uma coloração diferenciada? Elas são diferentes daquelas afastadas da água, porque recebem nutrição e refrigério. O resultado é a frutificação na estação própria. Em outras palavras, elas vivem cada fase no tempo adequado. De fato, se estiver em obediência a

Deus, pode confiar que ele a posicionará no lugar em que deve estar: "à beira de águas correntes".

Talvez você seja imigrante e o Senhor a colocou em uma terra nova, desconhecida e que não está preparada — porque não basta estar em um ambiente distinto: todo solo deve ser aprontado para receber as sementes de Deus. Quem sabe você não seja imigrante, mas tem experimentado uma temporada plantada em um local que não é exatamente o que sonhou para a sua vida? Qualquer que seja o caso, pode ser que esteja lutando contra essa transição e não queira criar raízes nesse lugar; por isso, tem resistido aos muitos preparos que o Senhor deseja fazer na terra do seu coração.

No entanto, cabe a você buscar sabedoria e discernimento para entender a terra em que deve estar plantada agora. Esteja debaixo da direção do Espírito e permita que ele trate o seu coração, enquanto a posiciona na terra que ele separou para você. Apenas assim poderá encontrar satisfação, mesmo em meio aos árduos processos.

É muito importante que, no término desta semana, você pare e ore, a fim de verificar o tipo de solo, de Lucas 8, que mais se identifica com o seu momento atual. Até porque, como diz o salmo primeiro, o justo, que cultiva o bom solo, medita nas Escrituras dia e noite e, por isso, dá fruto no tempo certo, suas folhas não murcham e tudo o que ele faz prospera.

Além dessa análise, procure responder a algumas perguntas: "As sementes que tenho recebido estão à beira do caminho? Ou sobre solo rochoso? Entre espinhos? Ou caíram em terra boa?". Ainda que esteja em excelente solo, questione-se também: "Por acaso, estou resistindo ao arado de Deus?".

Jesus soube resumir como ninguém a necessidade da persistência e da constância para atravessar esse processo: "Ninguém que põe a mão no arado e olha para trás é apto para o Reino de Deus" (Lucas 9.62). Pare de olhar o passado com o desejo de retroceder, mas siga a orientação do Mestre: "Não recue!". O arado dói, mas é necessário.

SEMANA 2

ONDE ESTÃO SUAS RAÍZES?

AVALIANDO

1 Em quais áreas da sua vida você precisa que suas raízes recebam cura e restauração?

2 Qual devocional da semana mais impactou você? Por quê?

Filha, apesar dos obstáculos que você tem enfrentado, lembre-se de que nada é intransponível para mim. As vozes do medo, dizendo que você não conseguirá, ficarão mudas. As rejeições, o passado e as feridas não definem você. Não foque no que os outros dizem, mas sim no que eu digo a seu respeito: "Eu a instruirei e a ensinarei no caminho que você deve seguir; eu a aconselharei e cuidarei de você" (cf. Salmos 32.8). Deixe-me trabalhar o solo do seu coração, a fim de torná-lo fértil para que minhas sementes brotem e gerem lindos frutos.

Não importa quantas vezes você caiu, porque eu a levantei em todas elas. Entregue-se à minha vontade, viva os meus propósitos, ame o que eu amo, fale o que eu falo, cante o que eu canto. E não se permita ser alguém que sobrevive em desacertos e escombros. O reconstruidor de ruínas já olhou para você. O convite foi feito. Diga sim para o meu agir sobre as áreas que precisam de cura em sua vida.

Eu não desisto de você.

PRIMEIRO AS RAÍZES, DEPOIS OS FRUTOS:

acostume-se com essa ordem

SEMANA 3

A SÍNDROME DA DISFUNCIONALIDADE

Um homem tinha uma figueira plantada em sua vinha. Foi procurar fruto nela, e não achou nenhum. (Lucas 13.6)

Muitas pessoas vivem o que costumo chamar de "síndrome da disfuncionalidade": caminham até determinado ponto e alcançam objetivos importantes, mas, de tempos em tempos, retornam à estaca zero. Esse desempenho, aquém da capacidade do organismo, revela certo tipo de desajuste em relação ao propósito para o qual foram criadas.

Em Lucas 13, encontramos uma árvore disfuncional. Plantada no meio de videiras férteis, a figueira não correspondia ao lugar onde fora plantada nem aos frutos que deveria produzir. Talvez você esteja se sentindo como aquela figueira: solitária, frustrada por não produzir os frutos que deveria e pela sensação de não pertencer ao lugar em que está fincada.

Não é difícil identificar uma pessoa disfuncional, porque algo nela é evidente: a ausência de frutos — não encontramos nem sinal de projetos e sonhos realizados ou de ações boas e transformadoras. Você deve conhecer alguém assim: pode estar na igreja sete dias por semana, mas o que diz e pratica nada tem a ver com a vida transformada por Jesus; ou alguém que aparenta fervor e espiritualidade aos fins de semana, mas na segunda se encontra sem propósito. Em outros termos, trata-se de pessoas estéreis na vida, na família, no amor ao próximo e no que realizam.

No meio cristão, a expressão "produzir frutos" é usada para se referir a uma pessoa que, em contato com outras, transparece ter sido tocada por Cristo. Em contrapartida, não frutificar ou produzir frutos ruins equivale a ser disfuncional.

Diante disso, surge a dúvida: mas então o que pode tornar a nossa vida disfuncional? Em primeiro lugar, existe a disfunção de querer agradar aos demais. Tentar suprir as expectativas alheias é uma atitude autodestrutiva, pois é impossível que todos fiquem satisfeitos conosco. Se você conseguir agradar a uma pessoa, provavelmente outras ficarão tristes com você. Nesse sentido, devemos aprender cedo que uma vida saudável e funcional não pode ser orientada pelas expectativas dos outros.

No entanto, aqui há um limite para essa premissa, afinal não podemos fugir das expectativas de Deus a nosso respeito. Sim, ele tem expectativas com relação a nós. A parábola de Lucas nos revela que o dono da figueira esperava encontrar frutos em sua árvore. E por que tinha essa expectativa? Porque havia plantado a figueira em um solo bom; caso contrário, não teria mandado cortá-la. Mesmo assim, a figueira continuava improdutiva retirando os nutrientes da terra sem produzir nada. Ora, se não produzia, então a lógica deveria ser dar lugar a outra árvore.

Em segundo lugar, a disfunção pode ser uma consequência natural na vida de quem desconhece a própria identidade. Estávamos, certa vez, em um lugar público, quando a Vitória, minha filha, exclamou: "Como pode, no mundo inteiro, não ter uma pessoa igual a outra?! Olhem, são todas diferentes!". Sim, é verdade, até mesmo gêmeos idênticos possuem diferenças. Se Deus se preocupou tanto com detalhes que caracterizam a nossa aparência física, não se interessaria por aquilo que nos distingue interiormente?

Por isso, uma das maiores armas do Inimigo é ofuscar a nossa identidade e evitar que tenhamos conhecimento de que somos amadas por Deus e chamadas para um propósito personalizado. Essa estratégia tem gerado não apenas disfunção, como também tristeza, angústia e medo. Há muitas mulheres que não sabem para onde correr nem o que fazer da vida. No entanto, é essencial que você descubra quem é em Cristo, a fim de cumprir seu propósito durante o tempo de vida que ele lhe concede. Assim, jamais ocupará a boa terra em vão.

Em terceiro lugar, nutrimos uma vida disfuncional quando tentamos clonar alguém que admiramos ou invejamos. Tempos atrás, uma irmã da igreja me disse que havia tido uma revelação espiritual e que sua missão a partir dali seria entrar para o ministério de louvor e adoração. "Você canta?", perguntei. "Nunca cantei", foi a resposta. "Você poderia cantar para mim agora, por favor?", pedi a ela. Assim que terminou, com muito amor, comentei: "Querida, provavelmente, não foi Deus quem lhe disse isso". Em seguida, ministrei sobre ela algumas palavras acerca de identidade. Por certo, ela admirava o grupo de louvor e gostaria de fazer parte também, mas aquele não era o seu propósito. Agir com a motivação de replicar alguém é típico da disfunção de quem vive à sombra de outra pessoa. Por isso, aprenda a ser você mesma!

Em quarto lugar, nós nos tornamos disfuncionais quando não agimos alinhadas com o nosso chamado. Quando isso acontece, desperdiçamos tempo e energia fazendo o que Deus não nos ordenou. Isso já aconteceu comigo. Eu amava o trabalho social que desenvolvia na ala feminina do presídio da minha cidade. Ali aprendi a ter grande respeito e admiração pelos assistentes sociais. Foi quando, certo dia, decidi ser assistente social.

Por que não? Afinal, eu teria mais acesso ao local e às famílias das detentas, além de atuar oficialmente na área religiosa. Então, fui para a faculdade. Tenho de confessar: nunca o tempo passou tão devagar e estudei temas que considerei tão enfadonhos como naquele curso.

Até que, finalmente, fui sincera comigo: "Senhor, o que estou fazendo aqui? Isso não tem nada a ver comigo!". O fato de desistir me fez sentir incompetente por algum tempo, mas depois entendi que eu não havia sido chamada por Deus para atuar naquela profissão. Não se desgaste nem perca tempo fazendo algo que é paralelo ao seu propósito e que o Senhor não tinha em mente quando planejou você.

Neste dia, mulher, compreenda que, para superar a disfunção, você tem de evitar a tentação de agradar a todos, precisa conhecer profundamente a sua identidade no Senhor, sem tentar reproduzir outra pessoa e, finalmente, deve alinhar a sua vida ao chamado de Deus.

A MULHER--OLIVEIRA

> *Certo dia as árvores saíram para ungir um rei para si. Disseram à oliveira: 'Seja o nosso rei!'. (Juízes 9.8)*

Nas Escrituras, constantemente, somos comparados a árvores. Por esse motivo, decidi analisar e escrever sobre quatro tipos de mulheres nos próximos dias, com base na parábola de Juízes 9.7-15, que menciona quatro espécies de árvores: a oliveira, a figueira, a videira e o espinheiro.

Gideão havia morrido quando Abimeleque, seu filho bastardo, ofereceu-se para se tornar o rei da cidade de Siquém, e foi aceito pelo povo. Como ele não queria concorrência, tratou de matar todos os filhos legítimos de seu pai. Apenas Jotão, o mais novo, escapou. Foi ele quem contou essa parábola, como alerta ao povo de Siquém sobre as implicações da escolha por Abimeleque.

Hoje focaremos na mulher-oliveira e trataremos de quatro características que a descrevem muito bem.

A mulher-oliveira é uma árvore que se destaca por sua nobreza. Há alguns anos, eu estava na Praça dos Reformadores, em Genebra, na Suíça, quando uma bela árvore me chamou a atenção. "Aquilo é uma oliveira?", perguntei ao meu marido. Como ela era linda! Essa espécie se destaca por sua singularidade e imponência. Assim é a mulher-oliveira, sua originalidade e brilhantismo dão a ela uma visão única sobre as circunstâncias. Durante uma simples conversa, ela é capaz de levar o interlocutor a ter uma nova perspectiva da realidade.

A mulher-oliveira sempre enxerga o copo meio cheio, porque seu olhar é marcadamente construtivo. É maravilhoso tê-la por perto nos momentos de tensão ou de dor, porque ela carrega consigo a esperança. Quando Noé soltou a pomba para se atualizar a respeito da situação fora da arca, a pequena ave trouxe no bico uma folha de oliveira. Ainda que tudo à nossa volta seja caos e destruição, essa mulher sempre revelará a esperança que brota de sua confiança em Deus.

Em nossa igreja local, há uma mãe cuja filha possui paralisia cerebral. Outro dia, enquanto conversávamos, ela comentou que não se lembrava da última vez em que tinha dormido uma noite inteira nos últimos doze anos; isso porque, desde que nasceu, a menina tem espasmos e vários outros problemas ao longo do dia e da noite. No entanto, essa mãe tem sido muito perseverante em buscar a presença do Senhor e a comunhão com o corpo de Cristo. Ela nunca perde, por exemplo, uma reunião de mulheres da nossa comunidade. Certa vez, diante de uma situação difícil pela qual eu estava passando, ela me disse: "Sei que não é fácil, mas não desista!". Olhei para ela e, sem reação, pensei: "Meu Deus! Como, em meio a tanta dor e dificuldade, ela ainda consegue produzir esperança?".

A mulher-oliveira se sobressai por seus galhos retorcidos. À primeira vista, essa árvore parece ter nascido sofrendo. Semelhantemente, creio que a maioria das mulheres-oliveira não teve — nem tem — uma vida perfeita, mas não fica choramingando pelos cantos; antes, deixa-se aperfeiçoar pelas pressões da vida. Como se não bastasse, a oliveira tem raízes muito profundas. A mulher-oliveira também. Por isso, não tente arrancá-la do lugar, porque ela ama suas raízes. Ainda que tenha vindo de um lar destruído, honra suas origens. E suas folhas? Mesmo depois que secam e caem, servem de remédio. Nos momentos de sequidão da vida, essa árvore frondosa ainda pode curar as pessoas que estão ao redor.

A mulher-oliveira se distingue por seu azeite. Ela também se destaca por produzir o óleo resultante dos árduos processos pelos quais passou. Não pense que o olhar da mulher-oliveira é de esperança porque teve uma vida tranquila. Pelo contrário, esse óleo foi extraído das prensas a que foi submetida e que caracterizam todas as mulheres cujas batalhas as tornaram vitoriosas e cheias de esperança. Esse óleo produzido pela mulher-oliveira cumpre um papel mitigador, trazendo cura e suavidade àqueles que sofrem ao seu redor.

Além do aspecto calmante, esse azeite era usado na iluminação, ou seja, gerava luz nos ambientes. Imagino que a mãe de Thomas Edson — o inventor da lâmpada elétrica — era desse tipo. Ouvi uma história muito interessante a respeito dela, em que, certo dia, o pequeno Thomas chegou em casa com um recado da escola em mãos. Depois de ler o que dizia, falou ao menino: "Filho, estão dizendo que você é inteligente demais, por isso não poderá mais frequentar as aulas. Então eu mesma terei de ensinar você em casa". Com os incentivos, ensinamentos, esforços e investimentos da mãe, Thomas Edson acabou se tornando um dos maiores inventores da humanidade. Mas algo curioso estava prestes a vir à luz. Após o falecimento da mãe, Thomas encontrou por acaso o bilhete que recebeu em seu último dia de aula. Para a sua surpresa, na verdade, ele dizia: "Seu filho tem problemas mentais. Não vamos deixá-lo vir mais à escola!". Em relação à maternidade, a mulher-oliveira é uma encorajadora.

A mulher-oliveira cresce tanto, que precisa ser podada. A fim de não crescer em excesso e de maneira desordenada, essa árvore precisa passar por podas constantes, e, assim, produzir mais frutos e de melhor qualidade. A mulher-oliveira, quando permite ser podada por Deus, tem sempre a estatura correta, de modo que as pessoas são capazes de alcançar seus frutos — até mesmo os pequenininhos, pois ela é acessível e humilde.

Por certo, a oliveira da parábola de Jotão recusou-se a reinar, porque não passaria de uma árvore mais alta que as outras, agitada pelo vento. Preferiu continuar produzindo óleo e não renunciou ao papel que lhe cabia: curar e iluminar.

Por isso, esperançosa mulher-oliveira, é hora de aprender a se tornar uma mulher que cresce em nobreza, que se aperfeiçoa com as dificuldades da vida, que sempre vê à frente com a sabedoria divina e que está pronta a continuar amadurecendo, a fim de que seus frutos sejam fonte de cura e luz aos que caminham ao seu lado.

A MULHER--FIGUEIRA

> *Então as árvores disseram à figueira: 'Venha ser o nosso rei!'. (Juízes 9.10)*

Hoje é dia de nos voltarmos para uma árvore cujo fruto é muito apetitoso: a figueira. Uma característica notável do figo é o seu sabor açucarado. Assim, comparamos a mulher-figueira àquela que carrega doçura — doce no falar e no agir. Diferentemente da mulher amarga e de seus "figos ruins", como diz Jeremias, ela é agradável e produz cura e restauração.

A mulher-figueira é como Rute, não desiste das pessoas, mesmo que também esteja passando por momentos escuros e difíceis. Ela vai ajudar você a se lembrar de quem é, e às vezes realmente precisamos ser lembradas disso. Na história de Rute e Noemi, vemos o quanto as tragédias e perdas podem produzir amargura em nosso coração e aflição de espírito. Noemi, em certo momento, intitulou-se amarga, mesmo que seu nome significasse doçura: "Mas ela respondeu: 'Não me chamem Noemi, melhor que me chamem de Mara, pois o Todo-poderoso tornou minha vida muito amarga!'" (Rute 1.20).

Entretanto, na mulher-figueira, não são as circunstâncias que promovem mudanças, pois ela aprendeu a estar enraizada. Naquele momento, Rute também sofria e havia ficado viúva, mas seus frutos ainda estavam doces e curaram a amargura de Noemi. Esse tipo de mulher é a amiga que surge quando você está de luto, e diz: "Estou aqui".

Na fase do puerpério, por exemplo, não damos conta de nada, não é verdade? Há dias em que temos vontade de sair correndo. Em momentos como esse, a mulher-figueira surge com uma marmitinha, uma cesta de guloseimas, um pote com a sua comida favorita. Você já se sentiu feliz depois de comer um chocolate ou a sua sobremesa preferida? A mulher-figueira causa essa sensação em nós.

Já comi figo *in natura*, vindo direto da árvore, e é delicioso. No entanto, o figo seco consegue ser mais doce ainda. Da mesma forma, mesmo depois de passar por longos períodos de perdas e dores, a doçura da mulher-figueira se torna mais intensa, pois ela é aperfeiçoada com o tempo.

A mulher-figueira está presente em todas as estações. Apesar de ser uma fruta de verão, o figo pode ser consumido no inverno, porque não perde o sabor estando seco ou sendo castigado pelo frio. Aliás, por carregar um alto valor nutricional, nos tempos bíblicos, ele ajudava as pessoas a suportarem as estações mais frias quando a fome assolava. Assim, a mulher-figueira continua frutificando nos períodos de fome — seus frutos podem ser secos, porém são doces e alimentam. Mesmo na adversidade, ela é agradável, acolhedora e está sempre pronta para sustentar as pessoas em suas batalhas.

A mulher-figueira profere palavras doces. Até nos invernos mais rigorosos, que podem atingir sua fé, família, vida pessoal ou profissional, essa mulher sempre oferecerá uma palavra afetuosa a quem precisar, ainda que esteja sequinha e fora de época. Há pessoas que dizem: "Amiga, conte comigo", mas somem! Ela não age desse modo, pois aparece no momento adequado com a palavra certa, sem você esperar ou pedir.

Em Lucas 13.6-9, lemos a parábola da figueira plantada em uma *vinha,* e talvez a nossa primeira reação seja de estranhamento: ela estava fincada entre videiras. Mas isso significa que, não importa onde esteja plantada, a mulher-figueira, da mesma forma que as outras mulheres-árvores, precisa ser podada para crescer mais forte. Por isso, deve lutar contra a comparação. O que possui é único, porém singelo, e talvez não seja considerado de grande importância para os demais; além disso, a aparência seca não é nada atraente. Então, ela precisa acreditar que Deus a chamou e enviou, e que há doçura em sua vida, algo que os outros irão apreciar.

Finalizo o devocional de hoje com um conselho para você: evite as comparações. Tenha a convicção de que você é uma mulher ímpar, e que Deus lhe deu uma riqueza sem igual. Portanto, acima de tudo, não queira ser quem não é e enfrente o desafio de andar de modo condizente com a sua estação.

Lembre-se sempre de que, como a figueira, você passará por períodos nos quais não produzirá frutos, e só terá para oferecer figos secos. No entanto, ainda assim, eles alimentarão e nutrirão a muitos. Suas palavras não precisam ser ditas apenas no verão, porque algumas vezes elas só farão sentido no inverno. Além disso, saiba esperar o tempo certo para falar, já que essa, com certeza, é uma de suas características mais importantes: ser prudente e sábia. Precisamos de você!

DIA
18

A MULHER-VIDEIRA

Depois as árvores disseram à videira: 'Venha ser o nosso rei!'. (Juízes 9.12)

A terceira mulher da nossa lista é a mulher-videira: a alegria da festa e a alma da casa. É aquela de quem o grupo reunido à mesa diz: "Ah, se a *fulana* estivesse aqui...!". Ela não se caracteriza pela esperança como a oliveira, nem pela doçura da figueira, mas é responsável por trazer a alegria necessária e faz tudo ficar mais leve. Sou grata por ter mulheres-videiras na minha vida, extremamente necessárias em minha caminhada.

A mulher-videira gosta de celebrar e faz isso como ninguém. Se não tiver dinheiro, um bolinho e uma vela resolvem qualquer problema. Se alguém vai visitá-la, a primeira ação é abrir a geladeira: com uma cebola e algumas batatas, prepara um banquete, e ninguém frita um ovo igual ao dela. Alegra as pessoas com o que prepara na cozinha e, com uma sopinha, restaura o marido fragilizado daquela gripe mais sofrida que um parto — aliás, dizem as más línguas que Deus deu a dor de parto à mulher para que ela entendesse o que é um homem gripado! Acima de tudo, ela usa a mesa para curar relacionamentos, restaurar pessoas e unir famílias.

A mulher-videira é a alegria em pessoa. É maravilhoso tê-la por perto, porque pessoas desse tipo são felizes e satisfeitas. Tenho visto mulheres ocupando lugares que Deus nunca planejou para elas, e, em vez de espalhar alegria, são tomadas pela decepção, frustração, ansiedade e depressão. A videira da parábola, entretanto, recusou-se a crescer acima das outras árvores porque não queria deixar de produzir o vinho, "que alegra a Deus e aos homens" (Juízes 9.13 — ACF).

Se você é como a videira, não permita que roubem a sua alegria nem deixe que lhe digam: "Você brinca demais. Modere". Não! Porque essa é a sua essência. Não aceite que meçam você com uma régua que Deus nunca pretendeu que lhe servisse de medida. A preocupação em agradar aos demais pode matar a sua autenticidade, então não se aflija com o que as pessoas vão pensar ou com seus olhares de reprovação.

Continue produzindo o vinho, que alegra a tantos, mas lembre-se de carregar consigo o bom senso. Nem sempre devemos exalar a alegria expansiva a qualquer custo, pois isso é parte do exercício da sabedoria. Seria insensatez abraçar o discurso: "Eu sou assim e pronto, acabou". Necessitamos de sabedoria do Alto para todas as áreas de nossa vida, e se pedirmos prudência para entender como agir, o Pai celestial nos concederá (cf. Tiago 1.5-8). Quem sabe o Senhor não deseja que você manifeste a alegria de um jeito novo que ainda não conhece? Por isso, temos de estar constantemente conectadas ao Espírito Santo para compreendermos as melhores maneiras de nos portarmos em cada circunstância.

A mulher-videira é fruto do esmagamento. Convém lembrar que essa alegria transbordante não vem do nada. O vinho é produzido quando as uvas são espremidas, de modo que, quando se pensa que tudo acabou e só restou o bagaço da fruta, dali surge o vinho. Assim como os outros tipos de mulheres analisados nos últimos dias, a mulher-videira também deve enfrentar um processo de transformação. Nesse caso, antes de produzir alegria, ela precisou ser prensada.

Posso lhe dar um conselho, mulher-videira? Descubra quem você é em Deus e seja a sua melhor versão nele. Eleve o padrão e aprimore o seu vinho. Quando você entender sua identidade, jamais buscará ser outra pessoa. Esse foi o segredo da videira: ela não deixou sua essência, seu sabor, sua alegria para apenas ser a árvore mais alta que o vento agita.

Não se esqueça disto: os convites virão para, muitas vezes, tirar você do lugar de propósito e autoridade confiado por Deus. Existem níveis maiores de graça e unção os quais o Senhor deseja que você desfrute. Ele a chamou não só para que você cumpra um chamado especial e ministerial, mas também para que aumente o padrão do ambiente em que está plantada — e de todos os lugares por onde passar.

Além disso, assim como a oliveira e a figueira, que precisam ser podadas para produzir frutos melhores, a videira também requer certos cuidados. E o principal é proporcionar uma estrutura por onde ela possa se expandir, porque, se crescer rasteira e se espalhar pelo chão, a uva não terá o mesmo gosto, até mesmo sua tonalidade será outra. Isso sem contar que correrá o risco de ser pisoteada ou comida por animais.

Esse é o motivo pelo qual os vinicultores usam a treliça: uma estrutura de suporte composta de barras de madeira entrelaçadas, para dar sustentação e direcionar o crescimento da videira. A mulher-videira pode ter dificuldades em lidar com pessoas que exercem autoridade sobre ela, tanto no âmbito familiar, quanto na vida profissional e na igreja, mas precisa de suporte e direcionamento. Então, se você se identifica com esse tipo de mulher, ore para que o Senhor coloque as pessoas certas em sua trajetória e lhe dê humildade para aprender a ser auxiliada. E se você é uma mulher com um perfil diferente, seja alguém que prestará apoio, aconselhará e ajudará essas mulheres-videiras.

Finalizo este dia com um encorajamento: mulher-videira, alegre-se! O Pai celestial criou você de forma notável e particular. Busque sabedoria do Alto, e assim como a Palavra nos instrui: "Tudo que fizer, faça bem feito[...]" (Eclesiastes 9.10 — NVT). Em outras palavras, eleve o padrão e lembre-se de sempre se submeter à estrutura divina para que possa ter a cor, o sabor e a alegria que todos esperam ver em você.

A MULHER--ESPINHEIRO

Finalmente todas as árvores disseram ao espinheiro: 'Venha ser o nosso rei!'. (Juízes 9.14)

A parábola de Jotão discorre acerca de um tipo de mulher que eu definitivamente não gostaria que existisse: a mulher-espinheiro. O espinheiro foi o único que aceitou a proposta de reinar sobre todas as árvores, e sua resposta foi: "Se querem realmente ungir-me rei sobre vocês, venham abrigar-se à minha sombra; do contrário, sairá fogo do espinheiro e consumirá até os cedros do Líbano!" (Juízes 9.15b). Assustador, não? Vejamos algumas características dessa mulher temerária.

A mulher-espinheiro fere para se proteger e machuca os que a tocam; é muito reativa, do tipo "bateu, levou". Suas explosões levam as pessoas a terem medo de passar perto dela, e, à menor contrariedade, libera de imediato um espinho e não leva desaforo para casa — aliás, ela é o próprio desaforo. Entre as personagens bíblicas, seu temperamento lembra muito o de Mical, casada com o rei Davi, que foi capaz de criticar, repreender e desprezar o marido por ter dançado em comemoração pelo retorno da Arca da Aliança a Jerusalém. Lembre-se de que a crítica não construtiva já é um espinho. Por esse motivo, a jovem esposa recebeu uma triste sentença divina: a esterilidade. Não é de se estranhar que uma das características do espinheiro é o fato de não dar fruto. Jotão menciona o espinheiro por ser uma planta estéril, que fere e mata, tal qual Abimeleque, que, para se garantir no trono, matou os supostos rivais.

A mulher-espinheiro tem a palavra equivocada na hora errada e carrega o dom de ser inconveniente. Em qualquer ambiente, é capaz de causar um constrangimento geral com uma única frase. Os espinhos causam marcas, assim como as nossas ações deixam um rastro. Por exemplo, ao negociar um imóvel, que impressão você causa ao comprador ou ao vendedor? Quando muda de empresa, o que os ex-colegas falam de você? Qual é o legado que você deixa por onde passa? Já parou para pensar nisso?

Como age quando algo sai diferente daquilo que planejou? Você tem reações ou ações maduras? A reação é uma resposta à atitude do outro, muitas vezes impensada e carregada de rancor e ira. Diferentemente da reação, a ação responsável é cheia de bons frutos:

> *Responda gentilmente quando for confrontado e você neutralizará a raiva do outro. Responder com palavras duras e cortantes só vai piorar as coisas. Você não sabe que ficar com raiva pode arruinar o testemunho até do mais sábio dos homens? (Provérbios 15.1 – TPT)*

A mulher-espinheiro não aplaca a ira, mas a suscita. Dentro de casa, infelizmente, tem o poder de influenciar seus filhos a serem iguais a ela por meio de seu próprio modo de viver. De fato, precisamos estar atentas. Que impressões temos deixado?

A mulher-espinheiro é procurada como última opção. Isso é muito triste! Todos querem ficar longe da mãe dominadora, da esposa mandona, da colega manipuladora. Ela não está disponível para servir, mas deseja sempre ser servida. Além do mais, está pronta para contaminar o ambiente o tempo inteiro: se algo não dá certo, acaba com a festa; se não fazem o que ela quer, o seu fogo expelido queima "até os cedros do Líbano". Apesar de ser uma árvore muito resistente, usada para grandes construções, o fogo da manipulação e do domínio da mulher-espinheiro queima até o mais forte cedro.

Por isso, hoje, o meu conselho é: evite-a! Não deixe que a mulher-espinheiro reine sobre você. E se, porventura, enquanto lê este devocional, o Espírito Santo a incomoda quanto a algumas atitudes da mulher-espinheiro na sua vida, saiba que o arrependimento e a *metanoia* estão batendo à sua porta. Arrependa-se. Mude de rota. Aja diferentemente e permita que o Senhor corrija e redirecione seus passos, pensamentos e reações.

Nos últimos dias, analisamos esses quatro tipos de mulheres. Não importa em que trecho da caminhada você se encontra agora, ore e peça a Deus que cure as suas raízes e a transforme em uma árvore saudável e abençoadora, porque esse sempre foi o seu destino original.

DIA
20

AGITAÇÃO

É melhor ir a uma casa onde há luto do que a uma casa em festa, pois a morte é o destino de todos; os vivos devem levar isso a sério! (Eclesiastes 7.2)

Você deve ter notado que três das árvores das quais examinamos nos dias anteriores recusaram a agitação e a mudança brusca em seu propósito. A oliveira disse que não deixaria de produzir o seu óleo para se tornar uma árvore agitada pelo vento (cf. Juízes 9.9). E a resposta das outras não foi muito diferente.

Hoje, no entanto, estamos inseridas em uma cultura de agitação, com muitas distrações. Somos sacudidas pelos ventos da Modernidade e assim deixamos de focar no que realmente importa. O agito pode chegar até mesmo a nos desviar do verdadeiro movimento de Deus. Por essa razão, tantas pessoas estão ansiosas para encontrar tranquilidade, paz e mansidão.

A Bíblia registra movimentações estratégicas dos apóstolos e do povo de Deus em geral, mas também comenta acerca de uma agitação caracterizada pela confusão e desorganização. Os movimentos da Igreja estavam de acordo com o propósito divino, porém o agito humano era algo que poderia perturbar esse propósito. No livro de Atos, lemos: "Paulo e seus companheiros viajaram pela região da Frígia e da Galácia, tendo sido impedidos pelo Espírito Santo de pregar a palavra na província da Ásia" (Atos 16.6). Apesar de seu objetivo de pregar o Evangelho, os apóstolos estavam sensíveis ao direcionamento do Espírito Santo e entenderam que ainda não deveriam realizar aquela tarefa na Ásia. Seguindo este exemplo, precisamos nos atentar para não confundir estas duas coisas: **agitação** *versus* **movimento; cumprimento do propósito** *versus* **agito**.

Lembro-me de uma época em que houve muita agitação no meu ministério. Ele cresceu muito, e os ventos começaram a sacudi-lo. A Bíblia, porém, adverte sobre não sermos como folhas levadas de um lado a outro pelo vento, sem direção (cf. Efésios 4.14). Então conversei com a minha família e decidimos abandonar o alvoroço, voltar à tranquilidade e reconduzir o meu chamado. Posicionei-me como uma daquelas árvores e disse: "Não vou deixar de produzir o meu óleo para me tornar uma árvore balançada pelos vendavais. Não serei alguém que, embora compareça a todos os eventos, conferências e cultos, está distante de casa e perde o que tem de mais precioso".

O versículo de hoje revela que o ambiente de luto, em oposição ao de festa, tem um poder de ensino incomum, porque nos permite adquirir sabedoria ao ouvirmos a Deus em meio ao sofrimento. O Pai celestial autoriza o luto em nossa vida e, nessas ocasiões, temos dois caminhos a seguir: encará-lo como uma nova oportunidade de escutar ao Senhor, refletirmos e examinarmos nossa própria vida, ou sucumbirmos diante da dor.

Perdi não apenas minha sogra querida, mas minha confidente e amiga, durante a pandemia da covid-19. Foi ali, no luto que traz a dor nua e crua, que repensei minha caminhada. Quantos cafés com ela eu recusei, pois minha agenda estava lotada e "agitada" demais. Desperdicei momentos únicos que jamais voltarão. Mas tudo isso construiu em mim uma mulher que recusa a agitação para não perder a vida que Deus desenhou. Com isso aprendi que é melhor a casa em luto do que a casa em festa.

No ambiente festivo, a agitação nos impede de pensar, raciocinar e ponderar. As palavras mais duras de maldição, em grande parte, são proferidas em ambientes de agito. Já na casa onde há luto, somos impelidas a meditar no destino de todos e nos depararmos com a fragilidade da vida humana. E justamente por esse motivo, estamos mais próximas de cogitar o ajuste de rota em nossa própria vida, se necessário, evitando que o frenesi nos roube o que Deus nos entregou.

Mulher, não se esqueça de que o agito e a correria não são sinônimos de uma vida produtiva ou recheada de propósito. A minha oração é para que você permita que o movimento divino oriente a sua vida e a aperfeiçoe longe das rajadas de vento.

Você irá resistir!

A COMPARAÇÃO ESTERILIZA

> *Então contou esta parábola: 'Um homem tinha uma figueira plantada em sua vinha. Foi procurar fruto nela, e não achou nenhum'. (Lucas 13.6)*

Quem não se sente apreensiva quando o rapaz do caixa no supermercado pega a sua nota de cinquenta, cem ou duzentos reais para verificar se é autêntica? Em momentos como esse, é inevitável não pensar: "Será que alguém me passou uma nota falsa?". Agora responda: Você já viu uma nota falsa de sete reais? Não? Sabe por quê? O motivo é muito simples: ela não existe.

Algo curioso a respeito da falsificação é que ninguém copia aquilo que não é de verdade. Isso significa que o falso se sustenta no verdadeiro. Em se tratando de pessoas, acontece algo muito parecido: quem tenta imitar alguém está apenas alimentando a própria falta de autenticidade à custa do que é autêntico. Um dos resultados desse problema é a esterilidade. A figueira citada em Lucas 13 não conseguia frutificar. Creio que o motivo possa estar ligado à uma crise de identidade, afinal ela fora plantada no meio de um vinhedo. Só sabia produzir figos, mas estava em um local onde só se produziam uvas, por isso a comparação era certa.

Algo que devemos saber sobre essa postura é que ela tem o poder de nos prender na gaiola do complexo de inferioridade. Ser cópia de alguém é limitar a si mesma, abortar quem você é e renunciar a quem Deus a chamou para ser. Quando a Abba Pai Church, nossa igreja local, estava para ser fundada, nossa oração foi: "Não queremos ser cópia de nada e de ninguém, desejamos seguir o modelo do Céu".

Existem muitas referências lindas e frutíferas por aí, celebramos cada uma e somos alimentadas por elas, mas não precisamos ser iguais, pois ser fiel à nossa identidade nos livra de enganos desastrosos. Quando existia alguma dúvida sobre o caminho que deveríamos seguir, orávamos juntos, e a resposta de Deus era: "Eu não chamei vocês para isso. Onde está o projeto que entreguei em suas mãos?". Caso você seja impulsionada a seguir em uma direção, pergunte a Deus: "Isso está de acordo com o que tens para mim?". Criar raízes em solos equivocados pode nos afastar do propósito divino. A máxima "se deu certo lá, vai dar certo aqui" não serve se queremos honrar a Deus com o que somos e temos à nossa disposição.

A comparação e a cópia são nocivas e venenosas. Foi exatamente o que o Diabo fez com Eva, ao convencê-la a ser *igual* a Deus (cf. Gênesis 3.5). O segredo, portanto, está em aprender a admirar sem copiar. Às vezes, eu me sinto tentada a ceder às comparações, mas peço ao Senhor que me lembre de quem sou nele, pois ele só tem compromisso com o que é verdadeiro.

Certo dia, uma moça veio até mim para pedir um conselho: "Fui convidada a fazer parte de algo. Eu não quero nem sinto vontade de me engajar, mas tenho medo de dizer não e a pessoa ficar chateada comigo. O que eu faço?". A minha resposta foi a seguinte: "Diga que você não está nessa estação". Talvez você que esteja lendo esta devocional necessite dizer a alguém ou a si mesma: "Agora não é a minha estação".

Não se mova por convites, oportunidades nem por aquilo que soar mais conveniente no momento. Entenda a sua verdadeira identidade, seu propósito em Deus, e não ceda lugar à comparação e às ameaças das pessoas, pois o plano divino é que você frutifique no tempo certo, de acordo com a sua espécie. Não tente ser videira só porque está plantada em um vinhedo. Se é figueira, então assuma e entenda sua identidade e os frutos que produzirá.

A comparação esteriliza. Cuidado!

SEMANA 3

PRIMEIRO AS RAÍZES, DEPOIS OS FRUTOS: ACOSTUME-SE COM ESSA ORDEM

ESCAVANDO

1 Onde está a sua identidade? Com qual das mulheres citadas nesta semana você mais se identifica?

2 Qual devocional da semana mais impactou você? Por quê?

Filha, ao longo da caminhada, você aprenderá que, para florir e frutificar, primeiro precisa aprofundar suas raízes. Acostume-se com essa ordem. Primeiro, construirei raízes fortes e estabelecerei fundamentos sustentadores do meu bom propósito para protegê-la de si mesma. Dessa forma, mesmo que a tempestade venha, você permanecerá firmada em meu amor:

> Portanto, quem ouve estas minhas palavras e as pratica é como um homem prudente que construiu a sua casa sobre a rocha. Caiu a chuva, transbordaram os rios, sopraram os ventos e deram contra aquela casa, **e ela não caiu, porque tinha seus alicerces na rocha**. (Mateus 7.24,25 — grifos da autora)

Ninguém começa a construir um prédio pela cobertura, mas pelos alicerces, que poucos veem. A semente precisa cair no solo primeiro, por isso a esconderei por um tempo. Lembre-se de que raízes profundas nascem de entrega e renúncias. E tudo isso sem plateia, pois só promovo no público o que primeiro edifiquei no secreto. Não há nada que você possa fazer para apressar esse processo, porque não existem atalhos. Apenas um relacionamento constante comigo a levará a um novo nível de crescimento, com lindas flores e grandes frutos. Este é o meu Reino, esta é a minha cultura.

Seja uma mulher de raízes profundas.

RAÍZES PODADAS

SEMANA 4

O CUSTO DO CUIDADO É SEMPRE MENOR QUE O CUSTO DO REPARO

Quem cuida de uma figueira comerá de seu fruto. (Provérbios 27.18a)

Entre as muitas definições da palavra "cuidado", algumas delas estão diretamente relacionadas à cautela, atenção especial e cultivo. Quando criou o mundo, Deus colocou o homem no Éden para cuidar do jardim e cultivá-lo (cf. Gênesis 2.15). O conceito aqui é muito simples: se você cuida, tem; se descuida, perde.

Nesse sentido, aprendemos muito cedo que o ato de cuidar é essencial tanto na ordem da Criação e da natureza quanto em tudo o que faz parte da ação humana, envolvendo a manutenção e a preservação. Casa, carro, objetos eletrônicos, jardim: tudo precisa de zelo, monitoramento e conservação. No entanto, algumas áreas de cuidado geralmente são esquecidas ou negligenciadas, como os relacionamentos e a vida com Deus.

O casamento precisa ser regado, zelado e protegido, uma vez que a displicência pode chegar a destruí-lo. Quantas vezes ao mês, por exemplo, você e seu esposo saem juntos para jantar ou estar a sós? É muito comum a mulher se doar quase que integralmente aos filhos ou ao trabalho e não reservar nenhum tempo para o seu marido. Um dos maiores erros nesse tipo de atitude é confiar apenas no fato de que ambos se amam. Mas a verdade é que nenhum relacionamento, conjugal, filial ou de amizade, sustenta-se sem atos constantes de cuidado e manutenção.

A vida com Deus também precisa de assepsia e zelo frequentes. Quando estamos na presença do Senhor, o Espírito Santo destrói todos os germes capazes de infectar a nossa mente e coração, limpando-nos por completo. Para isso, porém, temos de dar permissão e fazer a nossa parte, afinal, a fim de que a água pura e cristalina nos lave, precisamos mergulhar nela.

Além disso, o amplo cuidado implica em duas ações muito importantes. Primeiramente, *o cuidado exige investimento*. Se queremos colher frutos saudáveis nos relacionamentos, na vida com Deus e no chamado ministerial, precisaremos investir tempo e atenção naquilo que foi posto sob a nossa responsabilidade. Por isso, insisto: invista nas suas raízes. Intensifique os seus esforços, use seus dias e os recursos que tem à mão para usufruir do fruto de sua árvore.

Por fim, *o cuidado requer perseverança*. Escovar os dentes cotidianamente nos impedirá de perdê-los mais tarde. Esse pode parecer um exercício pequeno e banal, mas podemos perder o que é importante simplesmente por negligenciarmos o trivial.

A melhor forma de você avaliar os campos dos quais tratamos hoje é responder a algumas perguntas com franqueza:

1. Como está a sua vida diária com Deus?
2. Até que ponto tem nutrido os seus relacionamentos como esposa, mãe, filha, irmã e amiga?
3. Como está o jardim do seu coração?

Mulher, enquanto escrevo estas palavras, sinto o Senhor lhe dizer hoje: "Cuide". Como afirma o ditado: "É melhor prevenir do que remediar"; e não queremos perder nada por negligência e falta de cuidado, porque o custo do reparo pode ser alto demais.

DIA
23

AS TRANSIÇÕES DE DEUS

E todos nós, que com a face descoberta contemplamos a glória do Senhor, segundo a sua imagem estamos sendo transformados com glória cada vez maior, a qual vem do Senhor, que é o Espírito. (2 Coríntios 3.18)

Toda mulher que ama a Deus e busca obedecê-lo, certamente, passará por um período de transição entre o que é sua vontade e aquela que de fato Deus tem em mente para a sua história. É o desejo do Pai mudar a nossa perspectiva sobre o que está acontecendo ao nosso redor. Por isso, nos próximos dias, você entenderá como o Médico dos médicos restaura as nossas raízes, introduz-nos em uma nova estação e nos faz frutificar outra vez após uma fase de esterilidade. Tudo isso, porém, requer ajustes profundos, por vezes nada fáceis.

Na verdade, a transição é quase sempre um processo complicado e árduo. Muitas vezes, consiste em um tempo de dúvidas, medos e incertezas. É uma temporada na qual há pouco conforto e muito confronto, mas são exatamente esses embates que nos levarão a novos níveis de dependência, fé e confiança em Deus.

Os discípulos de Jesus ficaram muito apreensivos quando ele anunciou que partiria desta Terra. Esta era uma transição difícil, pois deveriam passar a exercer seu ministério sem a presença humana do Mestre. Por isso, Cristo teve de trabalhar o medo e a insegurança daqueles homens durante todo o tempo em que estiveram juntos: "Não se perturbem os seus corações, nem tenham medo" (João 14.27b). Após a morte do Salvador, todos eles foram surpreendidos pelo desânimo, no entanto, quando o Cristo ressurreto lhes apareceu, foram revestidos de um novo alento. Somente depois é que foram capazes de levar o Evangelho a todo o mundo conhecido até então.

Aqueles que já passaram pelo funil de Deus, sabem que não há atalhos nesse percurso. Toda transição nos conduzirá a mudanças, que por certo influenciarão as perspectivas que temos a respeito de nós mesmas e de tudo o que nos rodeia. Porém, quero encorajá-la recordando o que a passagem de 2 Coríntios 3.18 nos promete: sermos transformadas "com glória cada vez maior" — ou "de glória em glória", como lemos em outras versões da Bíblia.

Talvez você esteja em um momento de transição pessoal ou de mudanças no âmbito familiar e tenha a impressão de que tudo ficou pior desde que se lançou nessa empreitada. Pode ser que a insegurança esteja tentando dominar você e fazê-la acreditar que nada dará certo ou terminará bem. Apesar das suas impressões e sentimentos, é essencial não fugir dos processos e permanecer firme, porque só assim você encontrará forças no amor infalível do Pai. Não tente pegar atalhos, porque, quando você se render ao processo divino, o Senhor romperá os cativeiros da sua alma, e a glória será cada vez maior à medida que vencer as etapas desse amadurecimento.

Mulher, não permita que seu coração se perturbe. Em vez disso, entregue-se plenamente nas mãos do Todo-Poderoso e descanse. Ele sabe o que faz.

As transições são necessárias, não fuja delas!

DIA
24

RAÍZES PODADAS

> *Todo ramo que, estando em mim, não dá fruto, ele corta; e todo que dá fruto ele poda, para que dê mais fruto ainda. (João 15.2)*

Tempos atrás, conversei com uma amiga que passava pelo processo de adaptação a uma nova cidade, e ela me disse: "Descobri que as raízes são podadas!". Eu não sabia disso. Até então, imaginava que somente os galhos podiam ser podados, mas ela tinha razão: as raízes precisam ser aparadas, a fim de estarem prontas para receber os nutrientes de uma nova terra. É o que acontece quando uma árvore está para ser transplantada: precisa que as raízes sejam podadas se o objetivo é voltar a crescer e se desenvolver em um novo ambiente.

Costumamos falar a respeito das transições divinas e achamos bonito escutar a explicação acerca da transformação, mas nem sempre nos atentamos ao fato de que o sofrimento está presente durante todo esse processo. Ao mudar de cidade, por exemplo, a pessoa se afasta de suas raízes familiares, e isso pode lhe causar tristeza e ansiedade; passar por um tratamento médico, dependendo da gravidade, pode gerar dores e perdas; reformar uma casa exige muita paciência e persistência diante de estruturas que vêm abaixo, da bagunça generalizada e do pó que circula pelo ar.

Por isso, muitas de nós nem sempre conseguimos vencer a depressão e a dor de entender os tempos de transição marcados por Deus. E aqui há uma verdade simples e profunda: Deus age por meio de estações. Segundo o profeta Daniel, Deus põe e depõe reis (cf. Daniel 2.21). Isso quer dizer que ele é quem tem o poder de controlar os tempos e tudo o que acontece.

Os processos de crescer e diminuir, ganhar e perder, estar bem ou mal, abraçar e soltar, nascer e morrer, explicam a vida humana em seu conjunto. Agora, seja em qual fase nos encontramos, temos de estar sempre cientes de que, enquanto vivermos e andarmos com Deus, seremos podadas.

A poda divina, porém, não tem a intenção de eliminar, cortar e jogar fora, mas de aparar, renovar e possibilitar crescimento e ainda mais vida. É exatamente o que o texto bíblico de hoje nos ensina. Em contrapartida, você pode estar pensando: "Mas, se tudo está indo tão bem na minha vida, por que mudar?". A resposta é fácil: a poda é necessária. Para que as suas raízes sejam fortalecidas em um novo lugar e em um novo tempo, e a fim de que você tenha a oportunidade de ampliar o seu círculo de relacionamentos, influência e vá de glória em glória, isso requererá a submissão à poda de Deus. As feridas, os aparos, a eliminação das pontas secas e quebradiças têm como propósito nos livrar de algo que julgamos demasiadamente importante e que talvez esteja nos impedindo de aprofundarmos as nossas raízes de forma saudável em uma nova terra.

Lembre-se: a poda sempre se dá em ciclos e estações, por isso não durará para sempre. Mulher, o Senhor é fiel para concluir o cultivo que iniciou em você. Portanto, submeta-se ao Agricultor e permita que as suas raízes sejam podadas por ele.

DIA
25

O PROCESSO DE CURA

Como é feliz o homem a quem Deus corrige; portanto, não despreze a disciplina do Todo-poderoso. Pois ele fere, mas trata do ferido; ele machuca, mas suas mãos também curam. (Jó 5.17,18)

Situações mal resolvidas e feridas na alma podem bloquear sua vida e fazê-la andar em círculos caso não sejam devidamente tratadas e solucionadas. Em outras palavras, uma paralisia se estabelece quando há feridas não tratadas. Antes de iniciar o processo de cura, no entanto, o primeiro passo é identificar a origem das dores. Portanto, hoje analisaremos três de suas possíveis causas.

A origem de suas feridas pode ser você. Sim, podemos ser as causadoras das nossas dores através das escolhas que fazemos. Somos livres para fazê-las, mas não escapamos das suas consequências. Às vezes, escolhemos alimentar a nossa vontade, e não a vontade de Deus, o que resulta em decisões erradas, e essa postura prejudicial pode ser gerada pela insensibilidade espiritual. Sempre pensei que os ferimentos causados pela lepra se deviam apenas à doença. Até que, certa vez, visitei um leprosário e aprendi que esses machucados estavam ligados à insensibilidade da pele provocada pela lepra. Os doentes se queimam, cortam-se e se ferem sem perceber, simplesmente porque perderam a sensibilidade. Da mesma forma, podemos padecer internamente em virtude da nossa insensibilidade espiritual, porque até mesmo o que ignoramos pode ter consequências. O caso de Josias ilustra bem esse princípio.

Josias foi um rei temente a Deus. Depois que encontrou o livro da Lei, que estava perdido no templo, percebeu o quanto o povo de Judá se afastara dos caminhos do Senhor. Então promoveu uma grande reforma: tirou os ídolos do local sagrado e restaurou a religião judaica. O Senhor, no entanto, por meio de uma profetisa chamada Hulda, disse que castigaria o povo com as maldições previstas no próprio livro, apesar de eles não conhecerem seu conteúdo (cf. 2 Crônicas 34.24). Isso quer dizer que ele nos perdoa, mas nem sempre nos livra das consequências do que plantamos. Portanto, examine se suas raízes têm estado insensíveis à Palavra de Deus e precisam de restauração.

Às vezes, causamos machucados a nós mesmas quando nos envolvemos em lutas que não são nossas. Mais uma vez, Josias serve de exemplo aqui. Certa ocasião, o faraó Neco mobilizou seu exército, e Josias resolveu marchar contra ele. O rei do Egito, porém, enviou um mensageiro dizendo-lhe que, por ordem de Deus, estava indo guerrear contra outra nação e que o rei de Judá seria destruído se interferisse. Entretanto, Josias não lhe deu ouvidos. Em vez disso, disfarçou-se de soldado e entrou na batalha. Resultado: foi morto ao ser atingido por uma flecha (cf. 2 Crônicas 35.20-24). O mesmo homem que havia sido fundamental na restauração religiosa do povo de Israel acabou se envolvendo em uma batalha que não era dele, sem receber a aprovação de Deus para agir de forma isolada. Por isso, pereceu.

Imagine, por exemplo, algumas situações: há uma intriga entre membros de uma família que não é a sua, e você pensa que pode dar a sua opinião; ou um desentendimento no ambiente de trabalho que não lhe diz respeito e, de repente, você faz uma avaliação sem ser solicitada ou realiza julgamentos desnecessários. A verdade é que você pode sair lesada se insistir em uma guerra que não é sua.

Por outro lado, *a origem das suas feridas pode ser causada por outra pessoa*. Provavelmente você já deve ter reparado no quanto podemos ferir e ser feridas por quem mais amamos, seja por palavras, atitudes ou pela falta de ambas. Há também aqueles que nos atingem nos piores momentos e que parecem se alegrar em querer colocar "o último prego do caixão". Quando Davi, humilhado, fugia de Absalão, que lhe havia tomado o trono, um parente de Saul chamado Simei acompanhou sua fuga amaldiçoando-o e jogando-lhe pedras (2 Samuel 16.5-8). Esse homem infiel surgiu no pior momento do grande rei de Israel e parecia se alegrar com aquela perseguição.

As circunstâncias também podem ser a causa das suas feridas. O luto, a tragédia, os problemas financeiros, o distanciamento de certas pessoas, as mudanças repentinas, as enfermidades, e tudo que não esteja sob o nosso controle, podem gerar profundo sofrimento. Isso sem contar as tragédias mundiais e guerras entre nações, cujas consequências são desemprego, fome, desvalorização da moeda e um aumento no custo de vida. Todos os países têm sofrido ao redor do mundo por situações semelhantes, e Jesus foi muito claro a esse respeito ao dizer: "[...] Neste mundo vocês terão aflições; contudo, tenham ânimo! Eu venci o mundo" (João 16.33).

A boa notícia é: existe cura para sua ferida! O versículo de hoje nos ensina que o mesmo Deus que corrige é o Todo-Poderoso que cura. Aquele que permite a dor é também o Médico que traz o alívio. Que contraponto!

Mulher, a correção nas mãos do Senhor tem um propósito muito mais amplo do que somente o da disciplina. Mais do que apenas nos endireitar, ele deseja nos sarar de maneira integral, para que, assim, possamos exalar cura aos outros também.

DIA
26

A BELEZA DO PROCESSO

> *[...] Quem sabe se não foi para um momento como este que você chegou à posição de rainha? (Ester 4.14)*

Você certamente alguma vez já abriu a janela, e o dia estava cinzento. Pelo menos essa é a visão de quem olha de baixo para cima em dias nublados. No entanto, quando uma aeronave atinge certa altura e ultrapassa as nuvens, podemos ver como, apesar do dia estar encoberto, o Sol não deixa de brilhar. Isso nos revela que até os dias cinzas têm sua beleza, mesmo que seja mais difícil percebê-la.

Ela não mora apenas no que está concluído, mas também no processo do que não está terminado — como o bebê sendo formado no ventre de uma grávida. Até mesmo depois do nascimento, muitas mães, na ânsia de poderem dormir mais e recuperar certa independência, dizem: "Senhor, não vejo a hora dessa criança crescer!". Mas quão imensuravelmente belo é um bebê desfrutando de sua papinha pela primeira vez, dizendo as primeiras palavras ou dando os seus primeiros passos.

Também há beleza no seu casamento, na singeleza da sua casa, nas xícaras sem par e nas canecas lascadas; nos dias comuns, como a segunda-feira, e não apenas nos suspiros do fim de semana. Ao contrário do que pensam, na verdade, ela não está no extraordinário, mas na simplicidade arraigada da mulher que ama e abraçou a vida que tem, sem deixar de sonhar com o futuro que o Senhor lhe prometeu.

Na realidade, o belo está em tudo o que o Senhor realiza, pois faz parte de sua essência. Sempre que penso a respeito desse assunto, lembro-me de Ester. Antes de se tornar uma mulher notável, Hadassa passou literalmente por um processo de embelezamento bastante longo — "[...] seis meses com óleo de mirra e seis meses com perfumes e cosméticos" (Ester 2.12).

A menção à mirra presente nesse tratamento me remete quase que de imediato ao contexto da preparação do corpo de Jesus para o sepultamento. Aqui, acredito que ela faça referência à morte e à cura dos nossos desejos, como se o Senhor dissesse à Ester: "Tenho um propósito para você, mas antes vou lhe mostrar a beleza do processo e vou prepará-la durante um período determinado, a fim de que você seja a minha resposta para este tempo". Talvez ele esteja dizendo algo semelhante a você hoje.

Ester não apenas foi preparada com todos os procedimentos estéticos da época, mas também foi orientada a esperar. Esse fator se mostrou decisivo, pois, nesse percurso, a futura entronizada rainha teve de demonstrar estratégia para não se deixar dominar pelas emoções. A direção do Espírito de Deus na vida da rainha judia em Susã a levou a tomar as melhores decisões, a ponto de conduzir o processo de libertação de toda uma nação.

Porém, engana-se quem pensa que a vida de Ester foi tranquila e privilegiada. A Bíblia nos conta que ela era órfã. Estudos também nos revelam que quando foi recrutada para o harém do rei, a jovem hebreia provavelmente era uma adolescente. Afastada de seu primo, a única família que tinha, Hadassa teve de mudar seu nome para Ester, a fim de não correr o risco de ter sua identidade descoberta no palácio.

Não imagino o que deva ter sido enfrentar tudo isso sendo tão jovem, órfã e diante de tanta incerteza acerca de seu futuro. Ela não sabia que seria escolhida pelo rei nem tinha noção do que aconteceria naquele harém. E se não fosse selecionada e nunca mais pudesse sair de lá? Provavelmente, também não era capaz de conceber o destino que lhe aguardava. Mas o Senhor sabia, e tudo o que ele precisava era de espaço para agir e da permissão daquela jovem para usar seu processo doloroso, incerto e "cinzento" para cumprir um plano grandioso naquela geração.

Hoje, Deus está à espera de que você entregue o controle de sua história ao Espírito Santo em vez de às suas emoções, para ser preparada e saber a hora correta de agir. Por certo, muitas vezes, nós nos depararemos com dias cinzentos, mas é imperativo aprendermos a discernir que o Senhor está ao nosso lado diariamente e deseja realizar grandes coisas em nós e através de nós.

Mulher, existe beleza nesse processo pelo qual está passando. Tudo o que você precisa fazer é enxergar acima das nuvens, ou melhor dizendo, enxergar abaixo de si, nas profundezas, e ver que as suas raízes estão crescendo no processo.

DIA
27

APARANDO AS MOTIVAÇÕES

Sonda-me, ó Deus, e conhece o meu coração; prova-me e conhece as minhas inquietações. Vê se em minha conduta algo te ofende e dirige-me pelo caminho eterno. (Salmos 139.23,24)

Deus corrige quem ama, pois ele é o nosso Pai. É impossível dissociar a paternidade da correção, porque ela está intrinsecamente ligada ao amor. Muitos acreditam que a disciplina pressupõe castigo e violência, mas isso não poderia estar mais distante da verdade. Afinal, é necessário muito amor para corrigir e ser corrigido. Aquele que não recebe correção é filho bastardo, que, menosprezado, não desfruta do devido carinho, cuidado e proteção. Por isso, quando a disciplina é acompanhada de amor, sabemos que é fruto do cuidado de quem nos corrige.

Ao sermos corrigidos por Deus, percebo que essa disciplina não está ligada a uma correção superficial, mas sim ao conserto das nossas motivações. Somente ele pode moldá-las, pois é o único que conhece de fato quem somos, o motivo de agirmos de determinadas maneiras e o que carregamos em nosso coração. As pessoas podem até nos julgar, mas apenas o Senhor conhece o diagnóstico completo e pode aparar nossas raízes, pois enxerga o que ninguém vê. Muitos podem se impressionar com a copa de nossa árvore e seu belo tamanho, mas somente Deus toca e conhece as nossas raízes, tanto as superficiais como as profundas.

Como diz o salmista: "Antes mesmo que a palavra me chegue à língua, tu já a conheces inteiramente, Senhor" (Salmos 139.4). Não há nada que possamos esconder dele, porque não pode ser manipulado, enganado com meias-palavras nem comovido por nossas desculpas, já que ele conhece as nossas intenções.

As Escrituras nos contam o que ocorreu logo depois que os israelitas saíram do Egito, quando o povo de Deus vagou pelo deserto antes de entrar na Terra Prometida. Antes de seguir em frente, deviam ser marcados pelo Senhor; então, pararam em Gilgal e foram circuncidados e curados (cf. Josué 5.2-9). Quando as nossas motivações passam pela poda, precisamos correr para Gilgal — lugar de cura, restauração e alinhamento, no qual a principal recomendação é o repouso absoluto e a espera em Deus.

Lembro-me de quando o Senhor me conduziu para um ano sabático. Foi um período em que me afastei de todas as funções da igreja e fiquei em casa arrumando gavetas e cuidando da minha família. Ele desejava tocar as minhas raízes, curar meu coração e calibrar as minhas motivações. Nessa época, era provável que não demoraria muito até eu me deixar levar pela motivação errada de ser aceita pelas pessoas, ou de usar o ministério como pódio de aceitação e sucesso humano. Foi então que Deus resolveu me mostrar a necessidade de desenvolver ainda mais um coração de serva, assim como Jesus redefinira o chamado dos discípulos ao ensinar-lhes que a grandeza da liderança está em servir ao Senhor e ter as motivações corretas.

Mulher, a poda das motivações acontece quando você está no lugar secreto e permite que o Pai examine suas raízes a fundo e transforme sua mente e coração. Pode ser que, bem escondida, haja uma pequena pontinha de inveja, medo ou de determinadas intenções que devem ser aparadas pelo Senhor. Portanto, reflita sobre o que mais a tem motivado no chamado que Deus lhe confiou: a sua própria glória e visibilidade, ou a glória daquele que a chamou? A sua motivação tem sido obter honra para si ou honrar ao Senhor? Seja qual for a resposta, uma coisa é certa: sempre será um bom momento para deixá-lo aparar suas motivações.

DIA 28

NÃO É SOBRE CHEGAR PRIMEIRO

Quando alguém o convidar para um banquete de casamento, não ocupe o lugar de honra, pois pode ser que tenha sido convidado alguém de maior honra do que você. (Lucas 14.8)

Ah, o tão sonhado banco da frente do carro! Se você tem crianças em casa, vai entender. A vida acaba se tornando uma constante dinâmica entre o pedido para "ir na frente" e a negação que vem logo em seguida. Talvez todas as famílias com filhos passem por isso.

Minha filha mais nova nunca desiste de disputar o assento mais cobiçado do automóvel nas viagens, curtas ou longas. Certo dia, enquanto nos preparávamos para sair, ela correu e se sentou no banco ao lado do motorista, toda determinada: "Este lugar é meu! Cheguei primeiro". Porém, eu lhe expliquei: "Esse lugar não é para quem chega primeiro, mas para quem está autorizado a ocupá-lo".

O fato de eu não negar à minha filha mais velha o acesso ao banco da frente não significa que ame menos a mais nova. Amo as duas igualmente, é claro, mas preciso ensinar cada uma a ocupar o lugar condizente com sua maturidade física. Deus faz o mesmo conosco em relação ao nosso amadurecimento emocional e espiritual.

Jesus, certa vez, ficou só observando como alguns convidados disputavam os lugares de honra em um banquete; sim, eles queriam ocupar o banco da frente. "Não façam isso", disse o Mestre aos discípulos. "Se o lugar já estiver reservado para outra pessoa, vocês vão passar vergonha!".

Infelizmente, vejo a mesma dinâmica entre os cristãos. Muitos correm para ocupar os primeiros lugares, mas não estão autorizados a estar ali. Reivindicam a posição só porque chegaram primeiro, mas isso não lhes garante absolutamente nada, pois esse privilégio está intimamente relacionado a toda uma caminhada. Nesse sentido, Cristo não deixa dúvidas acerca de tal atitude, já que, em outra ocasião, declarou: "Ai de vocês, fariseus, porque amam os lugares de honra nas sinagogas e as saudações em público!" (Lucas 11.43).

Certamente você também se lembra de outro episódio delicado; dessa vez entre os discípulos, quando a mãe de Tiago e João pede ao Mestre um lugar de honra para os dois filhos: "Declara que no teu Reino estes meus dois filhos se assentarão um à tua direita e o outro à tua esquerda". A resposta de Jesus foi certeira: "Vocês não sabem o que estão pedindo! [...] o assentar-se à minha direita ou à minha esquerda não cabe a mim conceder. Esses lugares pertencem àqueles para quem foram preparados por meu Pai" (cf. Mateus 20.20-23). Mães podem ser *terríveis*! Cortar caminho não fará com que nossos filhos cresçam de uma forma melhor.

Não se afobe para ocupar os primeiros lugares! Não tente assentar-se no banco da frente enquanto o Pai está curando as suas raízes e você está amadurecendo; muito menos interceda ou advogue por alguém que ele primeiramente quer transformar.

Deixe-o ser Deus e Senhor da sua vida e daqueles que você deseja ajudar. Não esqueça: existem ajudas que atrapalham! Se o filho pródigo recebesse uma cesta básica antes de voltar à casa do Pai, talvez ele não tivesse se arrependido de sua imprudência. A escassez, muitas vezes, é um chamado de Deus para ir até o lugar certo.

Mulher, espere o convite do Pai. A sua hora vai chegar. E, quando ele a convidar para esse lugar de honra, não hesite em ocupá-lo, pois então será todo seu.

SEMANA 4

RAÍZES PODADAS

APARANDO

1 O que você precisa tirar da sua vida neste tempo? Quais são as raízes que precisam de poda em sua vida?

2 Qual devocional da semana mais impactou você? Por quê?

Filha, você é o meu bom perfume, o aroma de Cristo: "[...] um perfume muito agradável que dá vida" (2 Coríntios 2.16 – NTLH). Mas o processo de fabricação dessa fragrância se dá esmagando sua fonte, para que a essência possa ser liberada.

Você tem passado por muitos esmagamentos e às vezes não entende que eles estão liberando e produzindo o bom perfume. Você será conhecida por se parecer comigo. Hoje eu a trago para perto. Não fuja das minhas mãos. Hoje eu toco as suas raízes.

Eu a chamei para este tempo e para esta hora, não tenha medo.

NUTRINDO SUAS RAÍZES

SEMANA 5

DIA 29

O JARDINEIRO

> *Com certeza o Senhor consolará Sião e olhará com compaixão para todas as ruínas dela; ele tornará seus desertos como o Éden, seus ermos, como o jardim do Senhor. Alegria e contentamento serão achados nela, ações de graças e som de canções. (Isaías 51.3 – grifo da autora)*

Até aqui, fizemos diagnósticos, abordamos a respeito de adversidades, feridas e podas. A partir de agora, trataremos mais especificamente do processo de cura das nossas raízes. Nesse tratamento multifacetado, é fundamental pensar como nutrimos a nossa natureza; e aqui entra em cena um personagem muito importante: o jardineiro.

Refiro-me ao jardineiro da parábola de Lucas 13.6-9, que se prontificou a cuidar da árvore infrutífera. Podemos interpretar o que ele disse da seguinte forma: "Fique tranquila. Não vim para esmagar ainda mais a cana que está quebrada nem para apagar o pavio que já está fumegando. Meu objetivo é expor as raízes e sará-las. Sou o jardineiro que cuida e não desiste de você. Quando alguém decide cortar uma árvore, eu prontamente digo: 'Deixe-me cuidar dela, porque a conheço. Eu estava ali quando ela nasceu, fiz planos para ela'".

Quando Adão foi criado no jardim do Éden, ele recebeu como uma de suas primeiras missões a jardinagem (cf. Gênesis 2.15). Cristo, por sua vez, sendo o segundo Adão, veio ao mundo para desfazer a obra do primeiro e restabelecer a ordem e acesso ao jardim, perdido pela desobediência de Adão. Jesus é o jardineiro, aquele que nunca desiste das árvores. É o que Charles Spurgeon, renomado pregador inglês, confirma em um de seus sermões:

> *Se formos apoiados por um tipo, nosso Senhor toma o nome de "o Segundo Adão", e o primeiro Adão era um jardineiro. Moisés nos diz que o Senhor Deus colocou o homem no jardim do Éden para o cultivar e o guardar. O homem em seu melhor estado não deveria viver neste mundo em um paraíso de luxo preguiçoso, mas em um jardim de esforço recompensado. Veja, a Igreja é o Éden de Cristo, regada pelo rio da vida e tão fértil que todo tipo de fruto é trazido para Deus; e ele, nosso segundo Adão, anda em seu Éden espiritual para o cultivar e o guardar; e dessa forma por meio de um tipo vemos que estamos certos em "supor ser ele o jardineiro". Assim também Salomão pensou a respeito dele quando descreveu o Noivo real indo com sua esposa para o jardim quando as flores apareciam na terra e a figueira apresentava seus figos; ele foi com sua amada para o retiro dos jardins, dizendo "Apanhai-me as raposas, as raposinhas, que devastam os vinhedos, porque as nossas vinhas estão em flor". Nem a natureza, nem a Escritura, nem tipos, nem cânticos nos proíbem de pensar em nosso adorável Senhor Jesus como alguém que se importa com as flores e frutos de sua igreja.*[1]

Jesus é o jardineiro de nossas almas, aquele que deseja investir em nós, e assim como o jardineiro da parábola fez uma proposta ao dono da

[1] SPURGEON, Charles. **O jardim de Deus**. São Paulo: PES, 2000.

vinha para não desistir da figueira, Cristo insiste em mim e em você, pois sabe que, com o tratamento adequado, voltaremos a frutificar.

Agora mesmo, enquanto você lê este livro, Jesus segura uma pá na mão e, como o jardineiro de Lucas 13, diz: "Não tenha medo. Não vou expor as suas raízes a fim de envergonhá-la. Não vou feri-la. Só estou aqui para curá-la, porque nunca desistirei de você. Sou seu amigo, seu jardineiro e seu intercessor, aquele que a ama desde que você não passava de uma semente".

A parábola, como você deve ter percebido, termina sem um desfecho, isso significa que não sabemos se a árvore foi cortada ou se finalmente produziu figos. No entanto, esse mistério parece ter sido intencional. Acredito que a proposta de Jesus é que cada uma de nós analise a própria vida e avalie as condições em que está plantada. A decisão está diante de nós hoje: vamos produzir frutos ou continuar estéreis?

O jardineiro chegou, está olhando para você agora, não tenha medo!

DIA 30

EXPONDO AS MINHAS RAÍZES

Porque não há nada oculto que não venha a ser revelado e nada escondido que não venha a ser conhecido e trazido à luz. (Lucas 8.17)

A passagem de Lucas 13 nos revela o carinho e o cuidado especial que o jardineiro teve com a figueira estéril, que havia sido plantada no meio de uma vinha. Ela era única e preciosa aos olhos daquele homem, por isso ele tinha grandes expectativas de que a árvore voltasse a dar frutos depois de ser bem cuidada.

Essa parábola me faz pensar no quanto nós nos parecemos com essa árvore infrutífera. Talvez, assumindo o ponto de vista dela, poderíamos encarar o jardineiro e logo pensar: "Lá vem ele podar os meus galhos!". Então, surpreendendo as probabilidades, ele, na verdade, se dirige às raízes. A árvore estéril, que durante muito tempo tentou escondê-las, mascarando sua verdadeira identidade e fazendo de tudo para ser aceita naquele ambiente, viu-se vulnerável e descobriu que o problema não eram os galhos.

A pá é cravada no solo, e o jardineiro começa a tirar a terra, tão bem acomodada ao pé da figueira. Em seguida, começa a expor motivações, intenções e tudo o que estava escondido. É como Jesus disse certa vez: as palavras cochichadas ao ouvido serão gritadas no alto dos telhados, porque não há nada que esteja oculto hoje que não será revelado no futuro, seja bom ou ruim.

Depois que as primeiras raízes começam a ser expostas, o medo e a insegurança parecem tomar conta: "Deus, se as pessoas souberem disso...! Guardei esse segredo a vida inteira!". Mas é necessário mostrar as raízes para dar lugar à cura. Portanto, durante a exposição das estirpes, você precisará conversar e ser acompanhada por pessoas de confiança, leais, tementes a Deus e sábias o bastante para ouvi-la e ajudá-la nesse processo. O aconselhamento e a mentoria são ferramentas poderosas nas mãos de homens e mulheres de Deus, e podem levar muitas de nós ao tratamento adequado de raízes doentes e mortas.

Lembro tão bem de passar por esse processo. Foram dias difíceis, onde realmente eu gostaria que o meu jardineiro Jesus se dirigisse aos meus galhos e não às minhas raízes. Ele mexeu no passado não resolvido e me ajudou a expor raízes feridas para serem curadas. Eu passei por um processo em que houve confissão de pecados, e mazelas precisaram ser reveladas. Entretanto, jamais me esquecerei dos seus olhos de amor sobre mim. A raiz recém exposta foi encharcada com graça, e naquele momento conheci a cura em meio à dor.

Se você tem algo escondido que precisa ser confessado, este é o momento. Deixe o jardineiro escavar ao redor das suas raízes e traga para fora o que está encoberto. Ele não as deixará à mostra para sempre e nem o fará para constrangê-la; o Jardineiro deseja sará-la.

Mulher, nunca se esqueça de que ninguém se esconde por muito tempo, e a mentira na qual você pode estar envolvida não se sustentará para sempre. Dê espaço à verdade divina, que é perene e inoxidável, porque somente Jesus Cristo, o Jardineiro eterno, tem o poder de libertá-la.

Ser verdadeira e transparente é um lugar seguro.

Seja de verdade.

DIA
31

A MEDIDA DA EXPOSIÇÃO

> *"O profeta perguntou: 'O que eles viram em seu palácio?' Disse Ezequias: 'Viram tudo em meu palácio. Não há nada em meus tesouros que eu não lhes tenha mostrado'. (2 Reis 20.15)"*

Para toda exposição existe uma medida correta. É muita falta de sabedoria ignorar o que convém ou revelar mais do que o necessário. A Bíblia ilustra muito bem essa verdade no livro de 2 Reis, capítulo 20, ao nos contar a triste história do rei Ezequias, que cometeu o erro de mostrar tudo o que possuía aos babilônicos, inimigos em potencial.

As Escrituras narram esse episódio da seguinte forma:

> *Ezequias recebeu em audiência os mensageiros e mostrou-lhes tudo o que havia em seus armazéns: a prata, o ouro, as especiarias e o azeite finíssimo, o seu arsenal e tudo o que havia em seus tesouros. Não houve nada em seu palácio ou em seu reino que Ezequias não lhes mostrasse (v. 13).*

Quanta insensatez. Mas a história continua e termina de forma trágica. A Palavra diz:

> *Então Isaías disse a Ezequias: "Ouça a palavra do Senhor: 'Um dia, tudo o que se encontra em seu palácio, bem como tudo o que os seus antepassados acumularam até hoje, será levado para a Babilônia. Nada restará', diz o Senhor. 'Alguns dos seus próprios descendentes serão levados, e eles se tornarão eunucos no palácio do rei da Babilônia'" (vs. 16-18).*

As consequências de revelar além do que se deve, geralmente, são devastadoras. Desde que o ser humano foi criado, somos inclinados à ostentação. A tendência de exibir quem somos e o que temos — e até mesmo o que não temos — nos tem reduzido à uma vida de exposição excessiva, contrária àquela que Jesus nos chamou a valorizar.

Recentemente, trocaram o asfalto da minha rua, mas para isso tiveram de mudar a tubulação. Como precisaram remover a terra, as raízes das árvores ficaram à mostra e, passadas algumas semanas, começaram a morrer. Foi quando o Senhor me disse: "Existe uma medida correta de exposição".

Aquelas árvores não estavam em um jardim, mas sim descuidadas e sem pertencimento. A vulnerabilidade em um ambiente à beira da estrada gera feridas, pois a multidão não tem compromisso com você. Eles apenas comentam o que pensam, mas não estão com as mãos estendidas para ajudar.

Em outras palavras, entendi que a exibição excessiva mata. Aquelas raízes começaram a morrer, porque foram privadas dos nutrientes advindos da terra. Da mesma maneira, se nos tornamos vulneráveis demais por um longo período, podemos acabar sem nutrição alguma. É por isso que as nossas raízes devem ser tratadas exclusivamente pelo jardineiro Jesus, porque apenas ele conhece a medida exata da exposição e a frequência da nutrição que necessitamos.

Tenha cuidado com o que compartilha nas redes sociais ou para uma grande quantidade de pessoas. O melhor lugar para você revelar todas as suas dificuldades, medos, aflições, tristezas e pecados — bem como as suas alegrias e gratidão — é aos pés de Cristo, no lugar secreto. Portanto, deixo um conselho: use as redes sociais e seus relacionamentos para inspirar, curar e dividir apenas o que convém. Tenha sabedoria: não exponha seus filhos, sua casa, sua família nem você mesma. Não compartilhe seus sonhos e planos com qualquer um, pois a vulnerabilidade desmedida pode matá-la.

Porém não se esqueça, Jesus sabe a medida da exposição, ele é o seu amigo e ajudador, então confie em seus comandos.

O ADUBO CHAMADO PERDÃO

> *Sejam bondosos e compassivos uns para com os outros, perdoando-se mutuamente, assim como Deus os perdoou em Cristo. (Efésios 4.32)*

Não há como tratar de perdão sem antes falar da ofensa. Eu me lembro de que, certa vez, uma pessoa que amo muito foi ofendida injustamente. Além de eu ter ficado muito triste, aquilo me deixou tão indignada, que estava disposta a chamar o ofensor e dizer-lhe boas verdades. Assim que soube do ocorrido, meu pai se sentou ao meu lado e disse: "Filha, ser ofendido é melhor que ofender, porque a pessoa injustiçada chora, entrega o assunto a Deus e fica bem. O problema está com quem a machucou. Se você fizer o que está planejando, vai ferir a outra pessoa e acabar com a oportunidade de ela aprender a lição. Em resumo, você não deve fazer nada".

De fato, tempos depois a questão foi resolvida, e aprendi um ensinamento valioso: *a ofensa nos reposiciona*. O que quero dizer com isso?

Você certamente conhece a história de José, o grande governador do Egito, que foi vendido como escravo pelos próprios irmãos. Estes, motivados pela inveja e maldade, foram capazes de jogar o próprio irmão num poço, vendê-lo como escravo e forjar a sua morte para os familiares. Enquanto voltavam para casa, depois de se livrarem do rapaz, José era levado para um país distante: a ofensa lhe rendeu uma nova posição — em todos os sentidos, afinal, de um dia para o outro, sua vida virou de cabeça para baixo.

Aquilo que parecia ser uma desvantagem, ainda mais se levarmos em conta as injustiças sofridas no Egito, acabou se tornando um fator decisivo para tudo o que veio a suceder na vida de José. A verdade é que ele tinha todos os motivos para se manter ressentido, amargurado ou raivoso, mas com a chegada da fome, reagiu de modo inesperado quando seus irmãos foram parar exatamente diante dele e pediram por suprimentos. Quem diria? O desprezado, injustiçado e esquecido havia se transformado em um dos líderes mais importantes de seu tempo.

E qual foi a atitude de José? Ele lhes pagou o mal com o bem. Em vez de se vingar, disse: "Agora, não se aflijam nem se recriminem por terem me vendido para cá, pois foi para salvar vidas que **Deus me enviou adiante de vocês**" (Gênesis 45.5 — grifo da autora). Pela segunda vez, ao enfraquecer o poder da ofensa em sua vida, foi aprovado por Deus, escolheu perdoar e cumprir o propósito divino para todo um povo.

Por isso, não há como desfrutar de uma vida plena e próspera sem um coração perdoador. Apenas os que perdoam cultivam um solo fértil que dá bons frutos em todas as estações. O oposto também é verdade: reter o perdão fecha as portas das bênçãos e dá lugar a uma coleção de amarguras e ressentimentos.

Suponhamos que alguém trai a sua confiança no ambiente de trabalho. Como dificilmente conseguirá conviver com essa pessoa, você pede demissão e a bloqueia nas redes sociais. "Problema resolvido", talvez seja o primeiro pensamento. Mas, na verdade, há uma grande probabilidade de uma situação semelhante voltar a acontecer com você — porque quem não passa na prova acaba sendo repetente.

Mulher, não existe mágica: a chave para pôr fim à estagnação gerada pela falta de perdão é aprender a perdoar. Parece óbvio, mas quão difícil é colocarmos em prática as coisas simples. Acho que todo esse processo se torna mais palpável e possível — porém ainda desafiador — quando permitimos que o Espírito Santo nos leve ao arrependimento e convicção de nossa humanidade. Quantas vezes não precisamos ser perdoadas pelo Pai celestial em nossa vida? Quantas vezes não ferimos outras pessoas também? Todos dependemos do perdão, graça e misericórdia divinos.

O ato de perdoar é o único resultado possível de quem se encontrou com Cristo e compreendeu o quanto foi perdoado por Deus. Por isso mesmo, ele não deve depender dos nossos sentimentos. O perdão não é um sentimento, é uma decisão.

Não vou mentir: perdoar é duro e custa muito. Nossa natureza clama por justiça e não quer sair perdendo. Não desejamos que o mal triunfe e nos deixe com a sensação de desamparo. Então, a pergunta que fica é: será que somos capazes de permitir que o Senhor nos defenda? Será que podemos perdoar os que nos causaram tanto sofrimento e nos recusar a devolver o mal com o mal? Qual é a nossa reação diante das ofensas que recebemos? Estamos nos aproximando do caráter de Cristo ou temos respondido com atitudes mundanas?

Porém, apesar de ser uma decisão, muitas vezes necessitaremos nos engajar em um processo de cura para que o perdão saia apenas do âmbito racional e se dirija para as nossas emoções. Tal qual uma semente, ele precisa ser germinado e cultivado no bom solo do coração. O perdão também carece ser regado, precisa de investimento, tempo e muita ajuda do Jardineiro para que a cura seja completa. Não abandone o percurso nem fuja do processo. Existe vida e liberdade para você. Decida perdoar e veja só o que isso é capaz de fazer em sua vida.

Sim, o perdão é um adubo que fortalecerá suas raízes. Deixe o Pai adubá-las hoje, perdoe!

DIA
33

O ADUBO CHAMADO PASSADO

Respondeu o homem: 'Senhor, deixe-a por mais um ano, e eu cavarei ao redor dela e a adubarei'. (Lucas 13.8)

Quando a árvore da parábola de Lucas 13 se mostrou infrutífera, uma das providências tomadas pelo jardineiro foi colocar adubo em suas raízes. Mas o que seria esse adubo em nossa vida?

Para respondermos a essa pergunta, basta recordarmos do que consiste a sua natureza: trata-se de matéria orgânica ou vegetal composta de algo que já morreu. Ou seja, os resíduos do adubo correspondem ao que, no passado, tinha vida. Então, ele é o que podemos considerar produto de ciclos já encerrados, de estações que ficaram para trás, de antigos relacionamentos e situações que enfrentamos em outra época. E é exatamente esse composto de resíduos que fortalece as nossas raízes.

Na natureza, ele é usado para se misturar à terra a fim de regenerá-la e trazer nova vida. Da mesma forma, não temos como descartar o nosso passado, mas podemos permitir que Deus transforme o que encaramos ao longo dos anos e nos proporcione um presente — e, consequentemente, um futuro — saudável e maravilhoso. Se consentirmos, ele usará o adubo das nossas experiências, dores, vitórias, relacionamentos rompidos e circunstâncias adversas para fortalecer as nossas raízes com o objetivo de cumprir o seu propósito em nós.

É claro que a nossa primeira reação diante das lembranças ruins será o desejo de nos livrarmos delas. No entanto, em Cristo, todas as coisas podem cooperar para o nosso bem (cf. Romanos 8.28), e esse adubo pode fortalecer as nossas raízes e nos proporcionar a cura. Se nada disso foi capaz de matá-la no passado, no presente, pela graça de Deus, será reciclado e usado pelo Senhor para fortalecer o seu interior.

Nunca se esqueça de que você sempre tem duas opções: superar uma situação difícil e se tornar mais forte e mais madura ou se entregar ao vitimismo, à falta de perdão, à culpa e ao pecado. Por isso, não reclame quando o adubo for aplicado às suas raízes. Talvez ele não cheire muito bem, não tenha um aspecto bonito nem seja o que você gostaria, mas definitivamente é o que você precisa.

Mulher, embora o passado seja uma roupa que já não lhe serve mais, com certeza é uma lição e cura que você levará para o futuro. Portanto, não despreze o que ele tem a ensinar.

DIA
34

BEM ACOMPANHADA

Eu rogarei ao Pai, e ele vos dará outro Consolador, a fim de que esteja para sempre convosco. Não vos deixarei órfãos (João 14.16, 18 – ARA).

Muitas vezes, a caminhada é árdua, mas não deve ser solitária. Jesus prometeu que sempre estaria conosco. "Não os deixarei órfãos", disse ele. Ao ascender aos Céus, Cristo nos presenteou com o nosso amigo, intercessor e consolador: o Espírito Santo. Além disso, a Bíblia é clara ao nos revelar a importância da comunidade de irmãos. Somos tratados, confrontados, santificados e curados quando estamos em unidade com o Corpo de Cristo.

A passagem de Lucas 13 – referência base para muitos dos devocionais que escrevi até aqui – conta-nos sobre aquela figueira que estava no meio de uma vinha. Acho praticamente impossível ler essa parábola e não me atentar ao fato de aquela árvore estar sozinha naquele campo. Rodeada por parreiras, ainda que fizesse força, a figueira jamais se tornaria uma delas. Não tinha, portanto, nenhuma referência de sua mesma espécie que lhe servisse de modelo, já que todas ao redor produziam uvas.

Isso me faz pensar no quão necessário é nos conectarmos com os indivíduos certos ao longo do caminho. Costumo dizer que as pessoas que estão indo para o mesmo lugar acabam se encontrando. Não tenho dúvida, por exemplo, de que o Senhor apresentará as amigas dele a você durante a sua jornada; assim como você será conectada a outras figueiras que, por terem vencido suas próprias batalhas, são frutíferas e cumprem o propósito para o qual foram criadas.

Por outro lado, no tempo certo e no local adequado, você também encontrará mulheres estéreis que precisarão de ajuda. Além disso, entenderá que, enquanto caminha rumo ao destino de Deus para a sua vida, terá de se afastar de algumas pessoas que não estão caminhando para a mesma direção que você.

É verdade, não conseguimos sozinhas. Necessitamos do Senhor e de outras pessoas. Porém, é crucial sabermos discernir quem são aqueles que podem nos impulsionar e quem são os que nos puxam para baixo. Certamente, precisamos nos dispor a servir aos outros e ajudá-los em suas fraquezas, mas alguns não querem melhorar, não têm os mesmos princípios que os nossos nem estão andando no mesmo rumo; o resultado é atraso, estagnação e, em alguns casos, até mesmo regressão em nossa trajetória.

Aprenda a se cercar das pessoas certas. Ore e peça que o Senhor lhe mostre quem são aqueles que devem continuar em sua vida e quem são os que têm lhe causado mal e afastado você dos caminhos de Deus. Ouça a voz do Espírito Santo e clame por discernimento. Ele lhe mostrará o que fazer, como e quando agir.

O meu desejo é que, diferentemente daquela figueira, você possa frutificar e alimentar muitos nesta geração. Oro a fim de que você seja uma resposta de Deus para a sua família, para a sua rua, seu bairro, sua cidade, para a nossa nação e, se o Senhor permitir, para este mundo. Logo, deixo o conselho final: faça boas alianças em sua caminhada. Não fique apenas trancada no seu quarto de oração, rodeie-se das pessoas corretas. Precisamos uns dos outros; necessitamos de comunhão, carecemos do Corpo de Cristo. Sozinhas, não conseguimos, mas juntos, como Noiva de Cristo, venceremos e chegaremos até o fim.

Tenho vivido momentos nos quais peço ao Pai que me apresente suas amigas: mulheres que são próximas de Jesus, que hoje pela manhã já estiveram aos seus pés. Não estou falando de uma espiritualidade exposta, ou revelações extraordinárias, e sim de pessoas simples como Cristo, que são "gente como a gente", mas possuem uma vida espiritual saudável e genuína. Precisamos delas. Ore a Deus sobre os seus relacionamentos.

DIA 35

BEM ALIMENTADA

[...] Nem só de pão viverá o homem, mas de toda palavra que procede da boca de Deus. (Mateus 4.4)

O mundo só veio a existir porque foi criado por meio da Palavra. Aliás, não são dois nem três versículos que a Bíblia destaca sobre a importância e o poder das palavras. Morte e vida estão sob a custódia da língua. Não é por acaso que Tiago escreveu: "Todos tropeçamos de muitas maneiras. Se alguém não tropeça no falar, tal homem é perfeito, sendo também capaz de dominar todo o seu corpo" (3.2).

A palavra tem capacidade de criação. É capaz de gerar o bem e o mal. Construir ou destruir. Decretar, sentenciar, prender ou libertar. Justamente por esse motivo que Cristo é a Palavra encarnada, o verdadeiro Pão que desceu do Céu e consegue trazer direção e nutrição à alma dos seres humanos:

"Eu sou o pão vivo que desceu do céu. Se alguém comer deste pão, viverá para sempre. Este pão é a minha carne, que eu darei pela vida do mundo. Pois a minha carne é verdadeira comida e o meu sangue é verdadeira bebida. Todo aquele que come a minha carne e bebe o meu sangue permanece em mim e eu nele. Da mesma forma como o Pai que vive me enviou e eu vivo por causa do Pai, assim aquele que se alimenta de mim viverá por minha causa. Este é o pão que desceu dos céus. Os antepassados de vocês comeram o maná e morreram, mas aquele que se alimenta deste pão viverá para sempre". Ele disse isso quando ensinava na sinagoga de Cafarnaum (João 6.51, 55-59).

Somente Jesus pode saciar a nossa alma. Mas além do Cristo encarnado, o Pai nos deixou as Escrituras: sua Palavra escrita e documentada. A Bíblia é o nosso manual de fé. Nela encontramos as respostas para absolutamente tudo de que precisamos: Deus, identidade, relacionamentos, criação de filhos, trabalho, caráter, natureza, liderança, sexualidade, esperança, fé, destino, futuro, morte, felicidade, amor, família, vida, luto, cuidado com o espírito, alma e corpo; certo e errado, prosperidade, inteligência, virtudes, medos, ansiedade, perdão, fofoca e quaisquer outros temas podemos encontrar nas Escrituras. É como disse o renomado pastor e evangelista Billy Graham: "A Bíblia é mais atual do que o jornal de amanhã".

Tratando-se de alimento, não podemos esquecer da mesa na qual escolhemos nos assentar. A mesa da qual Daniel decidiu comer, definir seu nível de revelação e influência sobre um tempo de crise. As mesas às quais você se assenta hoje revelam muito a seu respeito. Suas escolhas hoje definem onde estará amanhã.

Vai parecer que você está perdendo enquanto costura silenciosamente as renúncias da sua vida, da sua história; mas alguns "nãos" de hoje serão os "sins" de amanhã.

A mesa definiu Daniel e guardou sua identidade.

A mesa devolveu um lugar a Mefibosete.

A mesa deu estratégias a Ester.

A mesa dos discípulos de Emaús trouxe revelação.

A mesa de Davi fazia seu cálice transbordar mesmo diante de seus inimigos.

Escolha a mesa certa, porque nem todas as mesas são para você.

O banquete no qual você se debruça vai defini-la.

A Palavra é alimento.

Mulher, nesse processo de cura das suas raízes, escolha se encher do que vai alimentá-la de verdade. Nutra-se das Escrituras. Permita que elas — escritas e encarnadas — saciem você. Assim, conforme investe tempo na leitura da Palavra e permite que ela entre em seu coração, você, suas falas e atitudes serão transformadas. E, com isso, poderá levar cura e nutrição a outros também. Venha, sente-se à mesa. Existe um lugar só seu aqui — mas não se esqueça de vir com fome.

SEMANA 5

NUTRINDO SUAS RAÍZES

ADUBANDO

1 O que você precisa fazer para cuidar das suas raízes de maneira prática e ativa nesta temporada da sua vida?

2 Qual devocional da semana mais impactou você? Por quê?

Filha, procure ser uma boa pessoa, mas não perca seu tempo provando isso para os outros. Eu sou aquele que conheço tudo. Você nunca encontrará frutas suculentas penduradas em uma árvore ruim e insalubre. Cada árvore será revelada pela qualidade do fruto que produz, figos e uvas nunca seriam colhidos de espinheiros (cf. Lucas 6.44).

As pessoas são conhecidas desta mesma maneira, por meio da virtude armazenada em seu coração. Ou seja, pessoas boas e retas produzirão bons frutos. Mas do mal escondido em seu coração e raízes os indivíduos produzirão o que é mau. O transbordamento do que foi armanezado será visto pelo seu fruto e será ouvido em suas palavras.

Por isso, deixe-me tratar suas raízes mais profundas. Sou aquele que deseja ver em você a minha face resplandecendo. Sou o jardineiro. Você é o meu jardim.

REDEFININDO O SUCESSO:

crescendo para baixo

SEMANA 6

PLANTADA NO LUGAR SECRETO

> *Mas quando você orar, vá para seu quarto, feche a porta e ore a seu Pai, que está em secreto. Então seu Pai, que vê em secreto, o recompensará. (Mateus 6.6)*

O lugar secreto é onde você pode estender as suas raízes com segurança, porque ali é exatamente a origem de tudo. Anos atrás, quando o Senhor me disse, mediante palavras proféticas, o que queria fazer em mim e por meu intermédio, passei a plantar no lugar secreto.

Eu não passei a fazer *lives* nas redes sociais nem exibi o que estava vivendo em Deus. A grande verdade foi que precisei investir mais tempo em algo que ninguém conseguiria ver, onde eu tinha a audiência apenas de um: Jesus. A lição da "audiência de um" ensinou-me a estender bem minhas raízes para baixo, antes de crescer para cima.

Este lugar tem uma característica marcante: é nele que plantamos sem que ninguém veja o que foi semeado. Na verdade, não devemos nem precisamos divulgar o nosso plantio quando estamos no secreto.

É por isso que recebe este nome: secreto. Ali, com a plateia de apenas um Espectador, nos encontramos com Deus e nos damos a conhecer — ainda que ele saiba tudo a nosso respeito. Algo que gosto muito de pensar é que não há nada que seja plantado nesse lugar que não prospere.

No Antigo Testamento, uma das exigências era que a roupa íntima do sacerdote fosse feita do mesmo material que as vestes externas. Esta era uma ilustração visual que relembrava a importância de sua aparência equivaler ao que ele era na intimidade.

No entanto, ao longo dos séculos, muitos líderes religiosos se perderam em meio às aparências e religiosidade, a tal ponto que Jesus os comparou a sepulcros caiados: brancos por fora, mas cheios de imundície por dentro. A mensagem de Cristo denunciava que o altar sacerdotal público não tinha o respaldo do altar secreto.

Jamais podemos permitir que isso aconteça conosco. É nossa responsabilidade cultivar o lugar secreto. Neste bom solo é que plantaremos as sementes que Deus tem confirmado e confiado a nós.

Não negligencie esse plantio secreto, não exponha as suas sementes, plante-as e esconda-as em Deus. Pois apenas quando estiver bem firmada, o Agricultor a convidará para as próximas etapas de crescimento.

O ALINHAMENTO QUE AMADURECE

> *[...] Resistir ao aguilhão só lhe trará dor! (Atos 26.14)*

Se você chegou a um ponto da vida em que já não consegue combater os desafios e deixou de ter expectativas quanto a sua área de atuação, dons, chamado ou ministério, deixe-me dizer uma coisa: isso provavelmente não tem a ver com o Inimigo. Talvez você esteja passando por um período de provação, cansaço ou até de alinhamento divino.

Ele tem como objetivo nos reposicionar, caso o Senhor queira nos alocar em um novo posto em seu exército: um novo emprego, outra área ministerial, uma nova maneira de conduzir as coisas em seu lar e casamento, um novo país, um curso universitário que não estava em seus planos, e por aí vai. Seja como for, esse alinhamento, certamente, levará você ao amadurecimento. Não temos como dissociar um do outro.

No entanto, para que essa transição aconteça, antes, precisamos entender o que o Senhor está fazendo e o que ele deseja realizar. Do contrário, acabaremos lutando contra Deus, mesmo sem nos darmos conta. Além do mais, muitas de nós podem se sentir feridas por não conseguirem avançar e frutificar em determinadas áreas, e o motivo talvez seja a insistência em um combate que o Senhor já pediu que você renunciasse. Se essa é a sua realidade, e você não está cumprindo o propósito para o qual o Criador a formou, então está, na verdade, *recalcitrando contra os aguilhões* de Deus. Foi exatamente o que aconteceu com Paulo.

O Apóstolo perseguia os cristãos acreditando que com isso agradava ao Senhor, porém essa não era a vontade divina. Até que, no caminho rumo a Damasco, Deus tratou de fazê-lo parar: "[...] Saulo, Saulo, por que me persegues? Dura coisa te é **recalcitrar contra os aguilhões**" (Atos 26.14 – ARC – grifo da autora). O Senhor precisou cegar Paulo momentaneamente a fim de que ele pudesse dar-lhe ouvidos: "Estou tentando fazê-lo parar. Você não está no centro da minha vontade! Eu reposicionarei você para que, de fato, conheça quem eu sou e cumpra os meus planos para a sua vida".

O aguilhão era uma ponta de ferro utilizada para deter cavalos ou bois. Quanto mais o animal reagia contra o aguilhão, mais se machucava. Da mesma forma, resistir à mudança e ao alinhamento que Deus deseja realizar em você é "dar murro em ponta de faca": você vai se machucar e, ainda por cima, será privada de viver uma nova estação com ele.

Mas é bem verdade que o alinhamento e mudança não vêm sem pressão. Quando fui tirar a carteira de motorista, o instrutor percebeu que eu estava com medo. Por isso, imaginei que ele iria me levar a um lugar tranquilo e me ensinar os comandos passo a passo, até que eu me sentisse segura para encarar o movimento da cidade. Em vez disso, ele me jogou direto no trânsito, em meio a um alvoroço. Ao fim da aula, perguntei: "Por que fez isso comigo?". A resposta dele foi simples: "Porque, quando o aluno tem medo, nós o jogamos na panela de pressão. Ele fica pronto bem mais rápido". O instrutor estava certo. Sabe o que aconteceu comigo na prova? Passei de primeira.

Meu conselho a você hoje é: aceite o alinhamento de Deus e, se tiver um direcionamento divino, pare o que está fazendo e permita-se ser reposicionada pelo Senhor. Quem sabe você não esteja deixando de viver o propósito para o qual Deus a formou e recalcitrando contra os aguilhões? Obedeça ao Instrutor e vá para o meio do trânsito! Depois me conte o resultado.

DIA
38

VOCÊ NÃO COLHE O QUE DESEJA, MAS O QUE PLANTA

[...] o que o homem semear isso também colherá. Quem semeia para a sua carne da carne colherá destruição; mas quem semeia para o Espírito do Espírito colherá a vida eterna. (Gálatas 6.7,8)

A verdade mais simples acerca da lei da semeadura é que só podemos colher o que plantamos. Temos muita facilidade em desejar uma porção de coisas, mas nem sempre estamos dispostas a pagar o preço pelo que almejamos.

Talvez você queira, de todo o coração, adquirir o hábito de orar e até mesmo chegou a comprar um livro sobre as sete maneiras de desenvolver uma vida de oração estupenda. A questão é que isso só irá acontecer de fato se você começar a orar. Isso, porque os meros desejos não têm o poder de infundir mudança alguma no que estamos plantando, assim como não é possível colher laranjas de uma macieira nem plantar melancias na expectativa de colher morangos. Sempre colheremos exatamente o que tivermos semeado.

Plantar diz respeito a trabalho, a sair do lugar de comodidade, a abandonar a zona de conforto e pôr a mão na massa. O outro lado da moeda se chama procrastinação. Quem sabe você tenha muitos desejos e sonhos, mas vive protelando: não consegue ter uma alimentação saudável, não mantém uma rotina de exercícios, não investe tempo em intimidade com Deus, não estuda nem termina nenhum curso que começa. Muitos não vivem plenamente porque passam o tempo inteiro desejando e sonhando, sem tomar decisões responsáveis.

Creio que seja isso que Tiago considera ser uma vida rasa e sem compromisso quando afirma: "Se algum de vocês tem falta de sabedoria, peça-a a Deus, que a todos dá livremente, de boa vontade; e lhe será concedida. Peça-a, porém, com fé, sem duvidar, pois aquele que duvida é semelhante à onda do mar, levada e agitada pelo vento" (1.5,6). Ele continua: uma pessoa assim "[...] não deve esperar receber coisa alguma do Senhor, pois tem a mente dividida e é instável em tudo que faz" (1.7,8 — NVT).

Viver no nível do desejo e nunca atingir o da ação concreta equivale à instabilidade à qual o texto bíblico se refere. É fácil desejar algo hoje e outra coisa bem distinta amanhã. Já o plantio está relacionado à tomada de decisões, responsabilidade, estabilidade, processo e espera. O que promove a transformação e dá lugar à mudança é a atitude de quem planta. Se você deseja avançar para o nível seguinte do seu crescimento, é fundamental que peça a Deus que arranque a procrastinação, preguiça, medo e indecisão da sua vida. Traga à memória as palavras que o Senhor declarou a Josué: esforce-se e tenha coragem, porque o Senhor seu Deus é com você por onde quer que ande (cf. Josué 1.9).

DIA
39

INVISTA MUITO EM POUCOS

[...] a Timóteo, meu verdadeiro filho na fé: Graça, misericórdia e paz da parte de Deus nosso Pai e da de Cristo Jesus, nosso Senhor (1 Timóteo 1.2).

Uma das características de alguém saudável é o seu entendimento a respeito da relevância de investir em outras pessoas. Assim como Deus chamou e encorajou Paulo a cumprir uma função essencial na formação do caráter de Timóteo e da geração de novos convertidos em sua época, muitos estão à espera de serem orientados em nossa geração.

O Pai continua despertando os que estão dispostos a aprender, como Timóteo, e persiste em encorajar pais espirituais para esta geração órfã. Paulo mesmo disse em 1 Coríntios 4.15: "Embora possam ter dez mil tutores em Cristo, vocês não têm muitos pais, pois em Cristo Jesus eu mesmo os gerei por meio do evangelho".

Apesar de não serem todos os cristãos que podem exercer esse papel com responsabilidade, diligência e temor de Deus, aqueles que se dispõem a treinar, amar e corrigir outros cristãos têm experimentado uma unção sobrenatural que os capacita e respalda por onde vão — afinal, a unção divina recai sobre nós para um propósito específico, que, geralmente, está ligado ao serviço às pessoas (cf. Isaías 61.1).

O importante é investir *muito*, mesmo que seja em poucas pessoas. Talvez o seu chamado seja se dedicar ao seu cônjuge, seus filhos e sua família. Depois disso, Deus pode expandir seu território e dar a você a oportunidade de investir na vida de outras mulheres ao seu redor ou de algumas pessoas na sua área de atuação. A menos que o Senhor lhe dê uma palavra específica, não perca tempo dedicando-se a uma multidão, porque, além de trabalhoso, é bem pouco produtivo e pode desencorajar você.

Além de Timóteo, o Novo Testamento nos traz outro exemplo lindo de investimento: Barnabé, que se ofereceu para caminhar com Paulo no início de sua conversão. Como resultado, este acabou influenciando a vida de muitos: homens, mulheres, jovens e famílias. Isso, porque o cuidado gera cuidado. Quem investe em pessoas — seja da sua família ou aquelas que estão ao seu redor — abençoa as gerações seguintes, como ocorreu com Timóteo, que foi fruto do cuidado que Barnabé havia tido com Paulo.

Isso me faz lembrar do jardineiro em Lucas 13. Quem cuida nunca desiste e não tem medo de investir, mesmo nos períodos de esterilidade, pois não está preocupado apenas com os resultados, mas com quem realmente somos. Esta dedicação exercida por ele em nossa vida é descrita da seguinte maneira por Hernandes Dias Lopes:

> *O Senhor Jesus tem escavado ao nosso redor e colocado adubo. Ele morreu por nós. Ressuscitou para nossa justificação. Enviou seu Espírito. Intercede por nós. Domingo após domingo ele nos alerta pela sua Palavra. Ele tem investido em nossa vida espiritual.*[1]

---

[1] LOPES, Hernandes Dias. **Lucas: Comentários Expositivos Hagnos:** Jesus, o homem perfeito. São Paulo: Hagnos, p. 421, 2017.

Mulher, da mesma forma que Cristo investe em você, ele a chamou para amar e cuidar de outros. Neste exato momento, pare e pense em uma pessoa em quem pode investir, seja por meio de uma palavra, de recursos, do seu tempo ou de algum ato de serviço. Não precisa ser algo grandioso. Comece com pouco, mas comece hoje.

TUDO O QUE VOCÊ CULTIVA CRESCE

> *[...] Plantarão vinhas e beberão do seu vinho; cultivarão pomares e comerão do seu fruto.* (Amós 9.14)

Todo cultivo gera crescimento, independentemente se o que foi cultivado é algo bom ou ruim. A fofoca pode chegar até você, mas só se espalhará se você a cultivar. Da mesma forma, você tem o poder de parar uma briga ou de torná-la mais violenta. Elifaz, um dos amigos de Jó, disse: “Pelo que tenho observado, quem cultiva o mal e semeia maldade, isso também colherá” (Jó 4.8).

Certo dia, aqui em minha casa, meu esposo elogiou a beleza de uma orquídea que eu havia ganhado havia algum tempo: “Como está linda esta flor”. Na mesma hora minha filha caçula disparou: “Ela está assim porque está sendo cuidada. Uau!”. Eu e meu marido nos encaramos naquele momento e percebemos o quanto a simplicidade de uma flor e de uma criança podem ministrar ao nosso coração: aquela planta estava sendo cultivada, por isso crescia.

Hoje é dia de avaliação. Peço que avalie o que tem ocupado a sua mente e que tipo de pensamentos tem cultivado, pois sabemos que os maus pensamentos são como um passarinho indesejado: até pode passar pela cabeça, mas não podemos permitir que faça ninho. Porque, uma vez aninhados, podem destruir relacionamentos, amizades e até a nossa própria vida.

Como bem aconselha o apóstolo Paulo, a nossa busca deve seguir exatamente na direção contrária: "Finalmente, irmãos, tudo o que for verdadeiro, tudo o que for nobre, tudo o que for correto, tudo o que for puro, tudo o que for amável, tudo o que for de boa fama, se houver algo de excelente ou digno de louvor, pensem nessas coisas" (Filipenses 4.8).

O apóstolo tinha consciência de que os pensamentos dirigem as nossas atitudes, que, por sua vez, reforçam a nossa mentalidade. Ora, se costumamos pensar naquilo que fazemos todo dia, então temos, necessariamente, de cultivar o que é bom e não desperdiçar tempo com o que não está alinhado ao coração do Pai. Pergunte-se: "A quais sementes preciso estar atenta neste tempo? Quais delas devo cultivar? Como devo usar meu tempo? Como posso melhorar meus pensamentos e focar no que é bom?".

Uma vez, fui visitar a minha avó, de 92 anos. Ficamos duas horas conversando e, quando terminamos, abracei-a e disse a mim mesma: "Você investiu bem seu tempo hoje com a pessoa certa".

A verdade é que você precisará escolher o que cultivar, porque isso certamente crescerá e se tornará enorme. Portanto, cultive a sua casa, a sua família e o seu relacionamento com Deus com responsabilidade e esmero. Cultive Filipenses 4.8 em sua mente e coração e tenha convicção de que você fará uma grande e bela colheita.

BALDE E TOALHA

> *Depois disso, [Jesus] derramou água numa bacia e começou a lavar os pés dos seus discípulos, enxugando-os com a toalha que estava em sua cintura. (João 13.5)*

Um dos comentários mais marcantes que já ouvi foi do meu marido, logo após o meu processo de conversão. "Você é outra pessoa", ele disse na época. Reconheço que a mudança profunda que ocorreu em minha vida não foi obra de mãos humanas, mas do próprio Espírito Santo, porque somente ele tem o poder de realizar algo desta magnitude — e assim continua, enquanto sou aperfeiçoada nele.

Sim, quando Deus quer nos transformar, ele não se contenta em arranhar a superfície, mas deseja nos tratar profundamente, em nossas raízes. Ele diz: "Eis que estou à porta e bato. Se alguém ouvir a minha voz e abrir a porta, entrarei e cearei com ele, e ele comigo" (Apocalipse 3.20). Jesus não é o tipo de convidado que fica conversando à soleira da porta: a intenção dele é entrar, sentar-se à mesa, encarar o anfitrião nos olhos e desenvolver um relacionamento com ele.

É a presença de Cristo unida aos ensinos divinos que proporciona as mudanças mais radicais e profundas em nosso interior. No meu caso, quando o Jardineiro chegou à minha vida, ele trazia um balde e uma toalha. Isso mesmo. Como naquela passagem de João 13, Cristo usou um balde e uma toalha para redefinir o conceito de grandeza. Naquela ocasião, ele nos mostrou que, para estarmos aptos a sermos frutíferos no Reino dos Céus, precisamos saber ocupar os lugares mais humildes.

Essa mudança de postura é apenas o início do processo de se tornar uma nova pessoa em Deus. Durante três anos e meio, os discípulos tiveram a chance de escutar o que ninguém jamais ouvira. Por vezes, Pedro ficava intrigado com o que Jesus dizia e agia de maneira muito reativa e carnal — afinal, quem poderia engolir sem esforço verdades tão duras?

Entretanto, após confrontos, consolos e muito investimento, notamos a mudança drástica em sua mentalidade e estilo de vida. Aliás, foi da boca desse intrépido seguidor do Messias que nasceu uma das declarações mais belas de todo o Novo Testamento: "[...] Senhor, para quem iremos? Tu tens as palavras de vida eterna. Nós cremos e sabemos que és o Santo de Deus" (João 6.68,69).

Mulher, quando o Senhor começar a tratar e nutrir as suas raízes, ele também mexerá em sua cosmovisão e redefinirá todos os seus conceitos equivocados a respeito de sucesso, casamento, liderança, maternidade — e assim por diante. Por isso, tenha a simplicidade de sentar-se com o Mestre e permitir que ele transforme seu interior. Escute-o bater e atenda à porta da sua alma. Deixe-o lavar seus pés para que você tenha parte com ele e aprenda a fazer o mesmo pelos outros também. Permita que ele faça mudanças na sua casa interna chamada coração.

Ele, mais do que ninguém, conhece você.

DIA 42

NÃO HÁ RAZÃO PARA TEMER O VENTO

Caiu a chuva, transbordaram os rios, sopraram os ventos e deram contra aquela casa, e ela não caiu, porque tinha seus alicerces na rocha. (Mateus 7.25)

Dois vizinhos plantaram árvores idênticas em frente às suas próprias casas. Um deles regava a pequena planta todos os dias e a cercava de cuidados. Em contrapartida, o outro simplesmente deixou sua árvore crescer. Ambas se tornaram enormes até que, certo dia, um furacão atingiu a cidade, e só uma delas ficou de pé. Qual você acha que sobreviveu?

Talvez se surpreenda com a resposta, mas a árvore regada todos os dias caiu e morreu. Por receber um cuidado excessivo, crescera com muita comodidade e não havia motivo para aprofundar suas raízes até o lençol de água. Elas se tornaram rasas. Enquanto isso, a outra árvore, por ter sido negligenciada, precisou se desenvolver cada vez mais para baixo, a tal ponto que abraçou uma rocha, razão pela qual conseguiu sobreviver.

Quem sabe você tenha sido uma mulher negligenciada também — alguém que precisou se tornar mais forte que a média para poder sobreviver? Na vida, passamos por desertos terríveis, mas são eles que nos levam a crescer e aprofundar nossas raízes até que nos abracemos à Rocha. Só assim não seremos derrubadas pelos ventos. Porém, sempre poderemos escolher: olhar para as situações que vivemos sob a perspectiva celestial ou nos abraçarmos ao sofrimento, rancor, angústia e medo.

Jesus nunca prometeu nos visitar todos os dias com um regador e nos cercar de mimos. Mas prometeu sempre estar conosco, e isso é suficiente. A Palavra nos garante:

> *Mas agora assim diz o Senhor, aquele que o criou, ó Jacó, aquele que o formou, ó Israel: "Não tema, pois eu o resgatei; eu o chamei pelo nome; você é meu. Quando você atravessar as águas, eu estarei com você; e, quando você atravessar os rios, eles não o encobrirão. Quando você andar através do fogo, você não se queimará; as chamas não o deixarão em brasas. Pois eu sou o Senhor, o seu Deus, o Santo de Israel, o seu Salvador; dou o Egito como resgate por você, a Etiópia e Sebá em troca de você. Visto que você é precioso e honrado à minha vista, e porque eu o amo, darei homens em seu lugar, e nações em troca de sua vida. Não tenha medo, pois eu estou com você, do oriente trarei seus filhos e do ocidente ajuntarei você. (Isaías 43.1-5)*

O Senhor é com você. Os vendavais das tribulações podem até nos açoitar vez ou outra, mas, ao nos agarrarmos a Cristo, poderemos passar pelas tempestades e pressões, sermos aprovadas em nosso caráter e nos tornarmos ainda mais firmes. Não tema a força dos ventos ou o que eles são capazes de fazer com a sua estrutura. O seu Deus é maior. Se você chegou até aqui, é porque as suas raízes querem se aprofundar e já estão a caminho da Rocha. Permaneça.

O luto, o divórcio, o medo, a doença, não podem derrubar uma mulher enraizada na rocha. Seja forte e corajosa.

SEMANA 6

REDEFININDO O SUCESSO: CRESCENDO PARA BAIXO

REGANDO

1. Analisando a sua caminhada, em qual área você ainda precisa esperar, amadurecer e desacelerar para poder crescer de maneira saudável?

2. Qual devocional da semana mais impactou você? Por quê?

Filha, eu a chamei como você é e não tenho expectativas ilusórias a seu respeito. Conheço as suas capacidades e as incapacidades. Estabeleci os limites que a protegeram e destruí os limites que prenderam você. Não há nada no seu interior que eu não saiba.

Eu a ungi com algo que a diferencia de muitos, por isso não se preocupe. A unção é suficiente, pois é derramada na medida exata e não depende dos seus dons ou das ferramentas que você adquiriu pelo caminho. Ela basta e é sob medida para esta hora.

Por esse motivo, vença a tentação de querer usufruir de unções que já derramei em outras pessoas, em outras estações, em outras épocas — mas não deixe de agradecer pelo que realizei em sua vida no passado, meus atos foram pontuais e precisos. Olhe para mim, caminhe comigo, não desperdice a unção que derramei sobre você. Enquanto eu a chamo e a escolho, escolha a mim. Esta é a tarefa que lhe cabe, esta é a sua porção: a melhor parte.

Quando eu não estiver falando, cale-se e desfrute do silêncio, pois ele ensina e faz amadurecer. Entretanto, quando eu falar, ouça! Se eu bater à porta, você ouvirá a minha voz? Apenas esteja atenta aos meus comandos, ande conforme os meus passos, deixe-se ser aperfeiçoada durante a trajetória e permaneça ao meu lado.

Filha, confie em mim.

MULHERES COM RAÍZES PROFUNDAS

SEMANA 7

IDENTIDADE RESTAURADA

> *[...] O Senhor não vê como o homem: o homem vê a aparência, mas o Senhor vê o coração. (1 Samuel 16.7)*

Cada uma de nós carrega uma identidade singular, um conjunto de características intransferíveis que nos distinguem como um ser humano único e dizem respeito à nossa essência. Porém, durante a nossa breve estadia na Terra, somos, muitas vezes, esmagadas, machucadas e marcadas negativamente pela vida ou por outras pessoas.

Nossa família de origem, por exemplo, é um dos agentes responsáveis por moldar a nossa personalidade. Até mesmo a nossa cultura e tradições vêm do berço familiar e de nossos primeiros relacionamentos na tenra idade. Nesses casos, se queremos ser restauradas, curadas e se desejamos avançar, devemos nos consultar com o Médico dos médicos, que não enxerga com parcialidade a nossa história, mas nos vê como realmente somos. Ele tem o projeto original de nossa identidade em suas mãos e sabe exatamente por que nos criou e formou.

As Escrituras nos dizem que o Senhor não nos enxerga como os homens; ele vê nosso coração e, por isso, conhece nossas intenções e motivações. Estas, por sua vez, são lapidadas à medida que nos expomos à presença de Deus e sua Palavra. Quanto mais nos achegamos ao Senhor e investimos tempo no relacionamento com ele, mais a nossa mente é renovada, nossas intenções purificadas e nossa identidade restaurada.

Se todavia essa não se torna a nossa realidade, terminamos guiadas pelas opiniões, pensamentos, estatísticas e mentiras de Satanás. Esse é o motivo pelo qual a Bíblia também nos alerta: "Porque, como **imagina** em sua alma, assim ele é" (Provérbios 23.7a — ARA, grifo da autora). Colocando em outros termos, isso significa que, mesmo tendo Deus nos criado, ainda que nos conheça, veja nosso coração e nos julgue com retidão, cabe a nós nos submetermos ao processo de renovação de mente para que nossos pensamentos sejam alinhados às verdades do Céu. Do contrário, poderemos viver toda a nossa vida *imaginando* ser alguém que não somos.

Já parou para pensar na tragédia que seria passar a vida toda achando ser alguém que não é? Imagine uma pessoa fazendo planos ou deixando de rascunhá-los e concretizá-los por não ter ideia de sua verdadeira identidade. Que triste. Você precisa conhecer sua real identidade em Deus. É evidente que isso não tem apenas ligação com suas habilidades, mas, principalmente, com a sua filiação. Você, mulher, é amada por Deus. É filha do Altíssimo. Ainda que o mundo a tenha rejeitado e sentenciado o seu futuro, o Senhor lhe presenteia como uma família e uma nova história. Levante-se e, como escreveu o profeta Isaías:

> *[...] resplandece, porque já vem a tua luz, e a glória do SENHOR vai nascendo sobre ti. Porque eis que as trevas cobriram a terra, e a escuridão, os povos; mas sobre ti o SENHOR virá surgindo, e a sua glória se verá sobre ti. E as nações*

caminharão à tua luz, e os reis, ao resplendor que te nasceu. Levanta em redor os olhos e vê; todos estes já se ajuntaram e vêm a ti; teus filhos virão de longe, e tuas filhas se criarão ao teu lado. Então, o verás e serás iluminado, e o teu coração estremecerá e se alargará; porque a abundância do mar se tornará a ti, e as riquezas das nações a ti virão (Isaías 60.1-5 – ACF).

Você é filha de Deus. Você é amada por ele. Você tem uma família.

DIA
44

UM NOVO NOME

[...] Seu nome não será mais Jacó, mas sim Israel, porque você lutou com Deus e com homens e venceu. (Gênesis 32.28)

Neste processo de descoberta e restauração da identidade, precisamos entender que, muitas vezes, o Senhor mudará o nosso nome. Nomes têm muita importância para Deus. Quando engravidei da minha primeira filha, eu não sabia que seria uma menina. Ao receber o exame clínico, constatei alegremente: "Estou grávida!". Na volta do consultório, fui andando pela rua e pensando: "Meu Deus, já está aqui dentro". E o Senhor me falou: "É uma menina, e o nome dela será Vitória. Sempre que você proferir esse nome, o Inferno vai estremecer, porque dei uma vitória a vocês". Embora fosse apenas um embrião, já havia sido escolhida por Deus, e ele havia dado um nome a ela.

Por meio da adoção divina, eu e você também recebemos um novo nome, que está ligado à nossa identidade. Um deles é "Filha Amada". O apóstolo Paulo escreveu:

Pois vocês não receberam um espírito que os escravize para novamente temerem, mas receberam o Espírito que os torna filhos por adoção, por meio do qual clamamos: "Aba, Pai". O próprio Espírito testemunha ao nosso espírito que somos filhos de Deus. Se somos filhos, então somos herdeiros; herdeiros de Deus e co-herdeiros com Cristo, se de fato participamos dos seus sofrimentos, para que também participemos da sua glória. (Romanos 8.15-17)

Por outro lado, nos tempos bíblicos, era comum as pessoas terem seus nomes literalmente mudados por Deus como anúncio de uma transformação significativa em suas vidas. Isso aconteceu com Jacó.

O nome Jacó significa "enganador" — bem conveniente, se você conhece sua história. Contudo, a Bíblia relata que, ao ser tocado por Deus, ele passou a se chamar Israel, que significa "príncipe de Deus". Porém, não à toa, as Escrituras nos garantem que a mudança de nome só ocorreu depois que o anjo *tocou* a coxa de Jacó e o deixou manco para o resto da vida (cf. Gênesis 32.24-28) — um toque dramático, significativo e definitivo na cura desse homem.

Assim como o seu nome já não era mais o mesmo, seu caminhar também não. Ele andava de modo diferente. É isso que o toque de Jesus faz em mim e em você: muda a nossa caminhada. Passamos a tratar as pessoas à nossa volta de uma maneira nova e, com o tempo, adquirimos um caráter aprovado por Deus. Assumimos um andar que sinaliza: "Sim, ele mudou não só o meu nome, mas a minha forma de me mover através de suas palavras".

A fim de restaurar a nossa identidade e mudar o nosso nome, Deus sempre precisará nos *tocar* para arrancar o orgulho, a ira, o vitimismo ou qualquer outra obra carnal que esteja embaçando a nossa visão com relação a quem somos ou atrapalhando o propósito dele para nós.

É fácil ser Jacó, uma pessoa dominada pela carne; difícil é nos abrirmos à transformação divina, recebermos um novo nome e andarmos de acordo com a nossa nova identidade celestial. Para isso, teremos de dar permissão ao Senhor para nos *tocar*. Todos os dias, Deus nos chama para crescermos mais por dentro do que por fora. E esse é o convite de hoje.

DIA
45

NÃO SE ENCAIXAR PODE SER UM PRESENTE

> *"Contudo foi da vontade do Senhor esmagá-lo e fazê-lo sofrer, e, embora o Senhor tenha feito da vida dele uma oferta pela culpa, ele verá sua prole e prolongará seus dias, e a vontade do Senhor prosperará em sua mão. (Isaías 53.10)"*

Fico pensando o que teria sido de Moisés, Ester, Daniel e Paulo se tivessem se encaixado. Por vezes, estar fora do padrão pode ser uma grande dádiva. Se José tivesse se encaixado perfeitamente em meio aos seus irmãos, não teria chegado a ser governador do Egito. Precisou ser desprezado, rejeitado e ridicularizado para, então, ser arremessado rumo ao seu destino.

Tempos antes de lançar a plataforma de ensino Casa de Isabel, tentei fugir de todas as maneiras. Pensava não me encaixar naquele tipo de trabalho. Tinha medo da câmera, sentia-me desconfortável e não queria a exposição. Houve muitos momentos nos quais disse a mim mesma: "Não vou conseguir! Chega, não quero isso!". Só decidi liberar as gravações e lançar o projeto depois de vencer muitos gigantes interiores. No entanto, para isso, tive de entender que, na realidade, não era que eu não me encaixava, mas que Deus havia desenhado algo para mim que eu seria incapaz de viver sem a sua presença capacitadora. Foi então que decidi: "Vou me submeter a esse processo". O resultado? Hoje, estar em frente a uma câmera já não me causa desconforto, é como se nada estivesse ali.

A verdade é que Deus leva a nossa transformação pessoal e a expansão do Reino muito a sério. Portanto, se ele tem algo em mente para você, o meu conselho é: não fuja. "Então dá para fugir?", você pode se perguntar. Claro que sim. Só que, se fizer isso, você viverá derrotada pelos seus gigantes interiores. Quem me vê agora pode achar que sempre tive todos estes conceitos claros o bastante em minha mente, mas os que me conhecem há mais tempo dirão: "Ela era bem diferente". Não acordei, uma bela manhã, transformada na pessoa que sou hoje. Precisei passar por um longo processo de desenvolvimento até compreender o propósito que Deus havia desenhado para mim — e até hoje isso ainda está em andamento.

O texto de hoje diz que Deus, para cumprir seu propósito na vida do Filho, precisou "esmagá-lo e fazê-lo sofrer". Antes de iniciar seu ministério público, Jesus enfrentou um episódio significativo: foi conduzido ao deserto para permanecer quarenta dias em jejum e depois ser tentado pelo Diabo.

Creio que não exista uma prova mais dura que o deserto; aliás, trata-se de um terreno com especificidades que, por si mesmas, explicam o motivo de esse teste ser tão árduo. Moisés, em seu discurso de despedida, declara que o Senhor os havia conduzido por todo o caminho no deserto, durante quarenta anos, "para humilhá-los e pô-los à prova, a fim de conhecer suas intenções", ou seja, se iriam obedecer ou não aos mandamentos divinos (cf. Deuteronômio 8.2). Isso quer dizer que o povo de Israel foi humilhado e padeceu para que Deus, em seguida, usasse aquela situação como oportunidade para sustentá-los e ensiná-los. Todo aquele sofrimento foi aproveitado pelo Senhor com a finalidade de produzir um caráter aprovado; consistia em uma prensa para extrair o melhor daqueles seres humanos que não sabiam honrar a Deus.

Isso me lembra de uma das parábolas mais belas de Jesus. Em Marcos 2.22, lemos: "E ninguém põe vinho novo em vasilhas de couro velhas; se o fizer, o vinho rebentará a vasilha, e tanto o vinho quanto a vasilha se estragarão [...]". Segundo o texto bíblico, o vinho novo deve ser guardado em um odre novo por uma razão muito simples: este é capaz de expandir e preservar o conteúdo em condições apropriadas. Há, pelo menos, duas verdades aqui a serem destacadas.

A primeira é que o vinho é produzido pelo esmagamento da uva. Caso você se deixe esmagar pelo processo de Deus a ponto de ser aprovada no teste do caráter, um novo vinho será produzido na sua vida.

A segunda, porém, está relacionada à primeira: o novo vinho não se encaixa neste velho arcabouço, por isso você sofrerá uma sensação de deslocamento. Nesse momento, deverá tomar uma decisão: preservar a velha estrutura ou dar espaço à nova para poder expandir.

Muitas mulheres fracassam em cumprir o propósito de Deus porque resistem ao "odre novo". Acostumaram-se tanto com as vitórias passadas, com as antigas maneiras de atuar, ou com o conforto, que a máxima "O vinho velho é melhor!" (cf. Lucas 5.39) resume sua perspectiva de vida.

Não viva do passado. Aprenda com ele para ser capaz de seguir em frente. Adapte-se às novas estruturas para receber o vinho novo e não se esqueça: não se encaixar pode ser um presente.

AUTORIDADE LEGÍTIMA

Alguns judeus que andavam expulsando espíritos malignos tentaram invocar o nome do Senhor Jesus sobre os endemoninhados, dizendo: 'Em nome de Jesus, a quem Paulo prega, eu ordeno que saiam!' (Atos 19.13)

Não há dúvidas de que Ester recebeu um treinamento por meio das situações adversas que viveu. Lembra-se da árvore resistente ao furacão? A rainha judia era como aquela árvore que permaneceu agarrada à rocha, apesar dos obstáculos. Por outro lado, todas as dificuldades que enfrentou fizeram-na compreender a autoridade que Deus havia colocado em suas mãos; essa autoridade conferiu-lhe valentia e determinação para usar até os últimos recursos, se necessário, e pôr em prática o plano divino.

Assim como aconteceu com Ester, a coragem e a iniciativa surgem quando descobrimos quem somos, entendemos o propósito para o qual fomos chamadas e andamos de maneira reta diante de Deus. Em seguida, somos revestidas de autoridade para cumprir a função específica que o Senhor reserva para a nossa vida.

Em contrapartida, no versículo de hoje, nós nos deparamos com um exemplo antagônico: o de alguém que buscava atuar fora da autoridade que lhe havia sido conferida. Alguns homens tentaram expulsar o demônio de uma pessoa, mas não sabiam de fato quem Cristo era, apenas o conheciam de maneira superficial, pelas pregações de Paulo. Ou seja, não havia um relacionamento de intimidade com o Senhor para que adquirissem autoridade, a fim de atuarem em seu nome. Foi quando o espírito maligno contra-atacou: "[...] Jesus, eu conheço, Paulo, eu sei quem é; mas vocês, quem são?" (Atos 9.15).

Mas aqueles, quem eram? Que pergunta! A pergunta era a resposta, eles não sabiam quem eram. E essa é a dinâmica de alguém que está se movendo na plataforma de outro: não sabe quem é. Com certeza, Paulo tinha uma construção com Deus, e as pessoas a admiravam na época — e até nós mesmas hoje, lendo as Escrituras e vendo quem Paulo era, podemos pensar: "Que construção linda". Mas a grande verdade é que ele tinha muitos alicerces para que aquela obra permanecesse em pé. O que quero dizer com isso é: muitos enxergavam a sabedoria que ele tinha, os milagres, as revelações, o sucesso aparente; mas poucos percebiam as vigas escondidas e as raízes que sustentavam aquela grande árvore frutífera. Não viam seus jejuns, suas renúncias, seus açoites e traições que sofria.

Por isso, é perigoso você tentar se mover por meio da unção de alguém, sem estabelecer sua própria caminhada íntima com Jesus. Vergonha e dor esperam pessoas que agem assim.

Mulher, não tente usufruir de uma autoridade que ainda não lhe foi confiada. Busque em Deus sua identidade, vocação e propósito. Peça que ele a capacite e encha você de unção e autoridade necessárias para cumprir o plano divino. Não tente se mover por meio da intimidade que outra pessoa tem com o Senhor. Seja você mesma e ore para que ele a posicione com autoridade no lugar certo e no tempo oportuno.

REFORMA OU RESTAURAÇÃO?

> *Seu povo reconstruirá as velhas ruínas e restaurará os alicerces antigos; você será chamado reparador de muros, restaurador de ruas e moradias. (Isaías 58.12)*

"Reforma" e "restauração" parecem palavras sinônimas, mas não são. Digamos que você tenha em casa uma mesa que pertenceu à sua bisavó. O objeto já está bastante avariado, mas você não quer jogá-lo fora, porque se trata de uma relíquia de família. O que faz, então? Envia para a restauração.

Mas por que restaurar em vez de reformar? A ideia por trás da restauração é a de preservar a originalidade do objeto, não apenas nas cores e no *design*, mas também na função. Já a reforma é diferente e, basicamente, consiste em fazer mudanças. Ou seja, a mesa antiga da sua bisavó poderia ser reaproveitada, transformada em um armário perto da porta de entrada e assim iria adquirir um novo uso.

Quando o assunto em pauta é a nossa particularidade como pessoas, Deus nunca irá nos reformar, porque não deseja que nos tornemos diferentes do que somos em nossa essência. O Criador sempre se mantém fiel ao projeto original e almeja preservar a singularidade de cada ser humano enquanto passamos pelo processo de nos assemelharmos a Cristo.

O desejo de Deus é nos restaurar. No entanto, o Inimigo busca roubar a originalidade com a qual fomos criadas, tentando nos reformar. Ele jamais nos restauraria, simplesmente porque odeia o projeto divino; aliás, luta incessantemente contra a concretização desse plano. Ele anseia nos matar, roubar e destruir (cf. João 10.10). Para isso, quer nos transformar em pessoas completamente avessas ao propósito original do Criador. Temos visto essa guerra na atual geração, a desvalorização do original, a degradação do que o Senhor criou.

Assim como lemos na base bíblica de hoje, devemos trazer à memória a restauração dos muros de Jerusalém e do povo de Israel, e pedir ao Espírito de Deus que restaure a nossa essência, o nosso propósito e a nossa autoridade, segundo o padrão celestial.

Veja bem, o muro não foi reformado, mas restaurado. Inclusive, reconstruído com as pedras que eram do muro anterior à queda. Deus não vai desperdiçar nada na sua vida, Ele também não permitirá que algo falte no processo de concretização dessa restauração.

Se você se encontra perdida, sem propósito, se tem duvidado do seu valor e identidade em Deus ou necessita de reparo divino, clame a ele por um toque especial e uma restauração completa, em qualquer área. Talvez isso deva ocorrer em sua mente, coração, corpo, emoções, ministério, vocação, família. Eu não sei, mas o Senhor sabe. Ele vê e se importa. Hoje, Deus lhe diz: "Antes de formá-lo no ventre eu o escolhi; antes de você nascer, eu o separei e o designei profeta às nações" (Jeremias 1.5). Permita que o Restaurador tenha espaço para reparar sua vida; acredite: disto ele entende.

ESSÊNCIA *VERSUS* APARÊNCIA

> *Então Maria pegou um frasco de nardo puro, que era um perfume caro, derramou-o sobre os pés de Jesus e os enxugou com os seus cabelos. E a casa encheu-se com a fragrância do perfume. (João 12.3)*

Pouco antes de a Abba Pai Church nascer, o Senhor foi muito claro comigo e com o meu marido: "Quero fazer algo novo, que está no meu coração. Mas sempre que tento colocar isso em prática, aqueles a quem chamei não aguentam a pressão e passam a optar por um modelo pronto ou seguem um caminho que consideram mais atrativo. No entanto, eu chamei e escolhi vocês para que vivam algo único neste tempo. Quero que sejam valentes em nome da verdade e da minha presença e não se deixem corromper". Não sabíamos que o projeto ao qual Deus se referia teria a dimensão que vemos hoje, por isso foi fundamental preservar a essência que nos fora confiada.

Quando o Senhor contou a Noé a respeito do dilúvio que enviaria sobre a Terra, ele buscava por um guardião da essência. Apesar de Deus ter criado um mundo harmônico, a criação se rebelara contra o Criador, por isso ele decidiu procurar um homem justo, com quem fez uma aliança e designou-o para uma missão. Para preservar aquela essência, Deus providenciou um "frasco" — uma gigantesca arca de madeira na qual guardaria tudo o que ele gostaria de proteger.

A passagem bíblica de hoje diz que Maria possuía um frasco cuja essência era de um perfume muito caro, feito de nardo puro, que custava praticamente o salário de um ano inteiro de um trabalhador comum. Aquela mulher estava disposta a utilizá-lo em uma ocasião muito especial, e isso nos mostra que não apenas o perfume era importante, mas que ela sabia apreciar o que tinha valor. Deus não tem interesse em designar guardiãs de fragrâncias baratas ou de uma essência corrompida, mas quer dispor de pessoas que reconhecem o que é valioso.

Vivemos dias em que o frasco importa mais do que o perfume. As redes sociais estão cheias de vasos bonitos, mas que conservam fragrâncias de má qualidade. Infelizmente, hoje, a aparência vale mais do que a essência. No entanto, como filhas de Deus, os nossos valores e métricas não são deste mundo.

A Abba Pai Church começou em um pavilhão bem pequeno, e agora temos um grande templo. Sim, o frasco foi mudando, mas, pela graça de Deus, a essência não; esta passou de um vaso simples para outro maior e mais elaborado, mas continuou a mesma, porque sua fragrância deve ser sempre mais preciosa que o frasco.

Assim como aconteceu conosco, chegará o dia em que a sua essência terá de ser derramada, e todos verão o que há aí dentro. Nesse trecho das Escrituras, Maria demonstrou com a própria vida o que realmente importava. Por isso, quebrou o vaso sem hesitar e derramou o perfume caro.

O frasco não era o protagonista da história daquela mulher — ao contrário do que se vê atualmente.

Portanto, quando chegar o momento, não tenha pena de quebrá-lo e deixar que a fragrância se derrame. Mesmo que seja grande ou pequeno, simples ou sofisticado, ele será rompido, porque o que há no interior vale mais.

Mulher, você é a guardiã da essência que Deus lhe confiou. O frasco se rompe, as estações passam e os modelos mudam, mas ela deve ser mantida e continuar exalando o perfume de Cristo por onde você passar.

DIA 49

FOLHAS OU RAÍZES?

Então o Senhor Deus fez crescer uma planta sobre Jonas, para dar sombra à sua cabeça e livrá-lo do calor, o que deu grande alegria a Jonas. (Jonas 4.6)

Ele será como uma árvore plantada junto às águas e que estende as suas raízes para o ribeiro [...]. (Jeremias 17.8)

Apesar de o foco deste livro estar nas raízes, também já tratamos de folhas, porque tanto estas como aquelas nos ajudam a entender questões importantes nesta jornada de cura e restauração. Hoje, separei duas passagens bíblicas. Começaremos com a planta de Jonas, que apresenta algumas características interessantes.

A aboboreira que cresceu sobre o profeta apareceu do dia para a noite, o que significa que já nasceu grande. Eu tenho um metro e setenta e três de altura, mas não nasci com esse tamanho; na verdade, demorei anos para atingi-lo. Não raramente, vemos pessoas cujo relacionamento com Deus é como aquela planta: cresce rápido demais. Elas conhecem Jesus e logo se destacam por terem uma vida de oração e jejum. Em pouco tempo, já estão envolvidas em atividades na igreja, com todo o entusiasmo. De repente, num belo dia, a empolgação murcha, a devoção seca, e elas desaparecem.

O que houve? Tudo estava indo tão bem! O problema — descobrimos mais tarde — é que estavam tão preocupadas em cuidar e mostrar a utilidade de suas folhas que não se atentaram às raízes. Foi exatamente essa a situação da planta de Jonas.

Ao oferecer suas folhas como sombra, ela lhe trouxe certo alívio por um dia. Do mesmo modo, quando empolgados, muitos começam a apoiar uma ação em nome de Cristo, mas depois desaparecem enquanto a ajuda ainda se faz necessária. O motivo de sumirem tão rapidamente se deve ao fato de que, embora suas folhas proporcionem algum frescor aos demais, infelizmente, são árvores sem raízes. Estas, por sua vez, não conseguem produzir nada além de um alívio imediato, porque não têm sustentação forte o bastante para apoiar um processo de cura até o fim.

Outro fato interessante a respeito dessa passagem de Jonas é que o profeta chorou por causa da aboboreira — um comportamento bem estranho depois que os habitantes de Nínive se converteram por meio de sua pregação. Os ninivitas eram inimigos de Israel, por isso Jonas queria vê-los pagar pelos crimes que haviam cometido contra seu povo. Então, movido pelo rancor, construiu um abrigo perto da cidade para ver o que aconteceria com ela. Jonas queria se alegrar com a destruição de Nínive.

Contudo, para lhe ensinar uma valiosa lição, Deus fez crescer ali uma planta cujas folhas enormes o protegiam do sol. Ele ficou muito feliz, mas no dia seguinte o Senhor enviou uma lagarta, que comeu o talo da aboboreira, e esta secou. Em seguida, como se não bastasse o calor do sol, Deus fez soprar um vento quente sobre Jonas a ponto de ele desmaiar, enquanto lamentava a morte da planta. Então, o Senhor o questionou: "Você está com pena de uma planta que nasceu, cresceu e morreu em um dia, mas não tem compaixão de milhares de pessoas que precisam de salvação?" (cf. Jonas 4.10,11).

Por vezes, agimos como Jonas: não nos alegramos quando alguém que nos prejudicou é alcançado pela graça divina e logo começa a usufruir dos benefícios da nova vida em Cristo. Segundo a nossa perspectiva, a pessoa deveria pelo menos sofrer um pouquinho! Por outro lado, ficamos tristes se, por exemplo, o nosso celular cai no chão e a tela acaba trincando. Em outras palavras, se quisermos ter nossas raízes curadas, precisaremos exercitar a compaixão.

Agora, certamente, a árvore que nos deve servir de parâmetro não é a de Jonas, mas a do texto de Jeremias. Antes de descrevê-la, o profeta afirma: "Maldito é o homem que confia nos homens, que faz da humanidade mortal a sua força, mas cujo coração se afasta do Senhor", porque ele é como "um arbusto solitário no deserto [...], numa terra salgada onde não vive ninguém" (cf. Jeremias 17.5,6). O trecho fala de dois tipos de solo: um no deserto e outro perto da água (v. 7), porque é o solo que faz a diferença.

O livro de Ezequiel também menciona uma videira "plantada junto à água; [...] frutífera e cheia de ramos, graças às muitas águas. Seus ramos eram fortes, próprios para o cetro de um governante" (cf. Ezequiel 19.10,11), e, mais adiante, o profeta diz que ela foi "plantada no deserto, numa terra seca e sedenta" (vs. 12,13). A mesma árvore em dois solos distintos é como se fosse dois organismos antagônicos.

Enquanto estava plantada perto da água, a videira tinha folhagem viçosa e produzia bons frutos; os ramos eram robustos o suficiente para serem transformados em cetros de governantes, que costumavam declarar sentenças e liderar as nações com aquele objeto. No entanto, a desgraça se abateu sobre aquela videira, porque o solo tornou-se desértico; seus ramos secaram e já não serviam para mais nada.

Não basta ser uma árvore boa ou uma planta sadia e forte. Se não estiver plantada em um solo fértil cujas raízes se estendam e toquem os ribeiros, seus dias estarão contados, seu fruto não permanecerá, sua folhagem murchará, e o fogo se espalhará entre os ramos.

Talvez o solo em que você esteja plantada não permita que os seus galhos e ramos se tornem cetros; quem sabe você não consiga mentorear ninguém, porque você mesma está fraca e nada do que faz parece avançar; pode ser que você não esteja entendendo seu papel no grande plano divino para este mundo.

Não se preocupe, pois se você permitir, o Senhor a mudará de ambiente e transplantará você para outro solo: uma terra perto das águas.

SEMANA 7

MULHERES COM RAÍZES PROFUNDAS

ENRAIZANDO

1. Quais atitudes você deve tomar para se dedicar mais intensamente ao seu relacionamento com Deus, buscando se aprofundar em sua raiz mais importante — a de filha?

2. Qual devocional da semana mais impactou você? Por quê?

Filha, estou reposicionando você na mesa. Fique onde possa estar conectada comigo. Alguns lugares parecem bons aos seus olhos, e você já adentrou em muitos, mas eles podem ser uma distração e impedem que você fixe sua atenção em mim.

Então, siga a minha presença, permaneça perto. Próximas fases a esperam, mas lembre-se de se esconder em mim todas as vezes que a pressão tentar sufocá-la. Prepare-se para um nível ainda maior de unção, favor e graça. A minha palavra será seu escudo.

RAÍZES CURADAS FRUTIFICAM

SEMANA 8

DIA 50

MULHERES CURADAS CURAM

Cura-me, Senhor, e serei curado [....].
(Jeremias 17.14)

Já preguei tantas vezes sobre cura a mulheres, que, quando Deus me dá este mesmo direcionamento, tenho a sensação de estar "chovendo no molhado" em certos momentos. No entanto, ao que tudo indica, o Senhor está levantando ministros e ministras do Evangelho que abordem essa temática no Brasil. O nosso país parece uma grande figueira plantada entre videiras cujas raízes precisam ser restauradas. A meu ver, Deus está passando as mulheres brasileiras por uma vistoria, a fim de trazer cura e restauração. Por esse motivo, há alguns anos essa tem sido uma mensagem recorrente.

Para sermos restauradas, necessitamos entender as estações divinas e aprender a identificar em qual delas nos encontramos: a do choro, a da entrega, a da celebração ou a de cura. Em seguida, é a hora de nos adaptarmos a essa temporada. Se você está na praia, em pleno verão, não vai usar roupa de frio. Se a estação é de choro, chore; se é de entrega, dê tudo que Deus estiver pedindo; se é de celebração, aproveite; se é de cura, prepare-se para o processo.

Talvez a fase de cura a deixe um tanto receosa, mas posso garantir que, independentemente do que aconteça, você nunca sairá perdendo se obedecer e se submeter à vontade divina. Certo dia, descobri uma traça corroendo um vestido do qual gosto muito e me lembrei deste versículo: "Não acumulem para vocês tesouros na terra, onde a traça e a ferrugem destroem [...]" (Mateus 6.19). Diferentemente daquela roupa, ninguém poderá roubar o que você está a ponto de viver em Deus. O que temos hoje será obsoleto amanhã, pode desaparecer ou até ser destruído, mas o que é divino dura eternamente.

Então surge a dúvida: você deseja mesmo ser curada? Jesus, certa vez, perguntou a mesma coisa a um paralítico. Pode parecer um questionamento estranho, mas o esclarecimento é necessário, pois algumas pessoas não querem ajuda nem desejam mudar de vida. Outro dia, encontrei uma mulher no sinal, muito magra, fumando e pedindo dinheiro. Eu lhe disse: "Venha cá, quero colocar você em uma casa de recuperação". Para minha surpresa, ela respondeu: "Ô, moça, tchau!", e me deu as costas. Ela preferia continuar como estava. Por isso, o primeiro passo é de fato ter certeza de que você deseja ser curada.

O segundo é estar preparada para renunciar. Lembro-me de uma mulher da igreja que sofria bastante com o marido, porque ele era um alcoólatra inflexível. Todos viviam consolando a pobre esposa, que nunca escondia sua tristeza. Então, começamos a orar. E sabe o que aconteceu? Um dia, ele apareceu em uma das celebrações e declarou: "Quero mudar de vida!". O homem estava tão feliz que foi abraçar meu marido com a maior alegria. Pensei que sua mulher ficaria radiante de felicidade, mas, para minha surpresa, sua melhor reação foi um sorriso amarelo. Passaram-se os dias, e não vi mais o casal na igreja. Há pessoas que preferem continuar no papel de pobres coitadas, porque mudar dá trabalho e exige renúncias. Então eu lhe pergunto: você está disposta?

O terceiro passo é ser curada para prosseguir ao lado do Mestre. Em outra ocasião, Jesus perguntou a um cego: "O que você quer que eu faça?". Mais uma vez, uma pergunta que não parece ser muito inteligente, mas um ponto interessante de sublinhar é que os cegos da época desfrutavam de alguns benefícios, e isso muda totalmente nossa perspectiva da história. Eles não pagavam impostos e recebiam dinheiro sem trabalhar, por exemplo. No entanto, aquele homem não queria mais viver daquele jeito. Desejava ser curado, mesmo que tivesse de abrir mão daqueles aparentes privilégios. Assim que recebeu a cura, abandonou a estrada de Jericó, onde costumava ficar, e começou a seguir Jesus (cf. Marcos 10.46-52). Cristo também deseja curá-la para que você aprenda a caminhar com ele.

Não há como esconder que o período após a cura é intenso, apesar de frutífero. Você já viu uma pessoa que conviveu durante muito tempo com várias limitações e de repente foi curada? Conheço algumas que passaram por um processo de cura do câncer, com anos de tratamento. Quando curadas, o cabelo começa a crescer, o medo da morte vai passando, e a pessoa decide viver o que nunca viveu. Tudo isso é possível porque a cura é contagiosa.

Ela nos habilita a realizarmos o que nunca fomos capazes, e mais: a cura nos possibilita contagiar os demais. É apenas trilhando esse caminho que você voltará a frutificar, a experimentar coisas novas e a ajudar outras mulheres a serem curadas também.

DIA
51

EQUILÍBRIO, DISCIPLINA E CONSTÂNCIA

Estes são os provérbios de Salomão, filho de Davi, rei de Israel. Eles ajudarão a experimentar a sabedoria e a disciplina; a compreender as palavras que dão entendimento; a viver com disciplina e sensatez, fazendo o que é justo, direito e correto; ajudarão a dar prudência aos inexperientes e conhecimento e bom senso aos jovens. (Provérbios 1.1-4)

Os versículos de hoje associam algumas virtudes importantes à sabedoria, mas além do equilíbrio e disciplina, destaco também a constância. Essas três qualidades imprescindíveis parecem faltar em nossa geração, e é nosso papel resgatá-las se quisermos experimentar a cura das nossas raízes e auxiliar na restauração de outras pessoas.

A primeira companheira da sabedoria é o equilíbrio. Para muitos, o equilíbrio está fora de moda, é "oito ou oitenta". Não raramente, as mulheres assumem atitudes extremas e abandonam o bom senso, que é intrínseco ao sábio. Isso não quer dizer que devemos agradar a todos, tampouco que seremos guiadas pela conveniência. O equilíbrio é saber viver com estabilidade, ser forte e ao mesmo tempo flexível. É ter entusiasmo, sem para isso agir com insensatez.

A constância é outra companheira da sabedoria. Esta também anda em falta atualmente, já que, muitas vezes, é subjugada pela empolgação e falta de persistência. A inconstância é descrita por Paulo como carência de direção, ou seja, uma pessoa que se deixa guiar pelas emoções, levada de um lado para outro pelas ondas e jogada para cá e para lá (cf. Efésios 4.14). "Siga seu coração", não é o que dizem? No entanto, a mulher cujas raízes foram curadas e estão agarradas em Cristo dá espaço ao Espírito em vez das emoções, a fim de que ele conduza o barco.

Finalmente, a terceira amiga da sabedoria é a disciplina. A palavra hebraica musar ("instrução", "disciplina") significa ser treinado por um instrutor que põe o dedo na nossa frente e nos abençoa com a verdade. Mas quantas vezes resistimos às instruções — e correções — necessárias. Você pode se lembrar do profeta Natã confrontando Davi em seu pecado de adultério com Bate-Seba (cf. 2 Samuel 12.1-12). Davi tinha muitos homens de confiança ao seu redor, mas somente um teve coragem suficiente para corrigi-lo e lhe falar a verdade — e ouvi-la dói, "arranca pedaços". Contudo, infelizmente, muitas pessoas gostam de ter benefícios sem custo, sem disciplina e, se possível, com rapidez. Isso não existe. A sabedoria vem, diversas vezes, por meio da dor, do confronto, do sacrifício, dos erros, sofrimentos e tempestades que enfrentamos ao longo da vida.

Mulher, para ser sábia, você precisa recuperar a disciplina, a constância e o equilíbrio. Assim, você se tornará uma mulher ainda mais resistente, prudente, forte, sensata e sábia. Creio que está aberta a temporada de treinamento. Permita-se ser treinada na escola do Espírito Santo.

DIA
52

UMA MULHER ORGÂNICA: FLORES DE PLÁSTICO NÃO MURCHAM

> *O homem [...] mediu quinhentos metros e levou-me pela água, que batia no tornozelo. Ele mediu mais quinhentos metros e levou-me pela água, que batia na cintura. Mediu mais quinhentos e levou-me pela água, que chegava ao joelho. (Ezequiel 47.3-4)*

Orgânico está associado àquilo que é natural, que não é fabricado ou artificial. No supermercado, os alimentos orgânicos são aqueles cultivados sem o uso de agrotóxicos e sem modificações genéticas, por isso acabam ocupando um espaço ínfimo em comparação com os demais de origem animal e vegetal. Já as práticas agrícolas aplicadas em produtos não orgânicos podem provocar um desenvolvimento desproporcional à maturidade do animal ou da planta, ou seja, uma mudança genética no crescimento.

Isso me faz lembrar da passagem de Ezequiel 47. Nesse trecho das Escrituras, o profeta teve uma visão que ilustra a dinâmica de crescimento em Deus e a importância de saber viver cada fase. Ele foi levado a ver a água que fluía do templo do Senhor. Ao entrar no rio, a água batia nos seus tornozelos. Mais adiante, alcançou seus joelhos; mais um pouco, e ele tinha água pela cintura. Por fim, chegou a um local onde o rio não dava pé, e então teve de mergulhar.

Esse texto nos revela os níveis de crescimento em Deus e da atuação divina na vida de uma pessoa. A mulher orgânica é aquela que tem sede pela presença do Senhor e deseja amadurecer em seu relacionamento com ele, mas sem a necessidade de interferir na ordem natural desse desenvolvimento por meio da aplicação de pesticidas e elementos tóxicos — ou seja, não pega atalhos nem se utiliza de artificialismos para crescer espiritualmente. Ela respeita os processos de crescimento sem interferir, ao contrário do que Sara fez com Agar, escolhendo não acreditar na promessa de que Deus lhe daria um filho (cf. Gênesis 16.1-3).

A tentação diária é exatamente interpor-se no caminho, o que resulta em mulheres artificialmente processadas, que não respeitam o tempo do Senhor nem compreendem suas próprias limitações.

Deus, no entanto, continua com o plano original e não se contenta com o que é postiço. Apesar de não murcharem, ele não se impressiona com as flores de plástico, mas valoriza as plantas de verdade, ainda que tenham um prazo de validade. Todas estamos sujeitas a murchar e a morrer, essa é a ordem natural da criação — nascimento, desenvolvimento e morte.

O segredo é estarmos constantemente crescendo e avançando em todas as fases e áreas de nossa vida, principalmente em nosso relacionamento com o Senhor. Deus respeita o nosso tempo e as nossas dificuldades e nos conduz a um crescimento saudável.

Lembro de Jacó e Esaú nesta mesma dinâmica:

> *Então Esaú disse: "Vamos andando. Eu o acompanharei". Jacó, porém, respondeu: "Como meu senhor pode ver, algumas das crianças são bem pequenas, e os rebanhos também têm crias. Se os forçarmos demais, mesmo que por um dia, pode ser que os animais morram. Por favor, meu senhor, vá adiante do seu servo. Seguiremos mais devagar, em um ritmo que os rebanhos e as crianças possam acompanhar. Encontrarei com meu senhor em Seir". (Gênesis 33.12-14 – NVT)*

Se você andar na velocidade do outro, talvez sua família não suporte. Não temos todos a mesma velocidade. Jacó carregava um propósito diferente de Esaú e foi maduro para entender isso e se posicionar. Não segurou Esaú, mas o liberou em sua velocidade e compasso e se recusou a sacrificar sua família para agradá-lo ou chegar primeiro.

Respeite a sua casa e a estrutura de sua família. Ainda que ande mais devagar, quem está guiando você não falha. Essa palavra me curou e me reposicionou inúmeras vezes quando os convites de alguns "Esaús" chegaram à minha vida, pedindo por velocidades maiores. Eu precisei respeitar o que havia gerado e entender que temos tempos diferentes.

Que essa palavra a reposicione hoje! Não ande no compasso do outro, respeite a sua história e a vontade de Deus. Seja orgânica, não modificada. Não apele para agrotóxicos nem tente alterar a sua genética espiritual. Encare os momentos difíceis, vá no seu ritmo, mas esteja sempre e constantemente avançando em direção à profundidade. O que você precisa não é ser como outra pessoa nem ter o tempo ou o dom parecido com os de alguém. Você nasceu para ser uma mulher orgânica, uma mulher de verdade.

DIA
53

QUANDO A SUA POSTURA MUDA, TUDO MUDA AO SEU REDOR

> *[...] irei ao rei, ainda que seja contra a lei.*
> *Se eu tiver que morrer, morrerei. (Ester 4.16)*

Já reparou que no instante em que você se agarra à mentalidade correta, decide se posicionar e toma uma atitude digna e corajosa, a sua vida e tudo à sua volta também tende a se modificar? Ainda que nem sempre termine com o desfecho que esperamos, cultivar uma mentalidade e postura corretas faz toda a diferença. Ester é um ótimo exemplo disso. A rainha judia tomou uma atitude certa e valente que mudou o rumo da história de Israel, e, como ela, poderíamos mencionar várias mulheres e homens ao longo de toda a Bíblia.

Não há segredo: todas as transformações que ocorrem em nossa vida estão intimamente relacionadas às posturas que assumimos. Aliás, grande parte das experiências que vivenciamos ou deixamos de viver são diretamente influenciadas por essas mesmas experiências. Por exemplo, se você demonstrar respeito por si mesma, as pessoas respeitarão você; e o contrário também é verdade: ninguém demonstra educação a alguém que não se respeita. Tenho certeza de que os habitantes de Jericó não tinham respeito por Raabe, até que, um dia, ela demonstrou respeito por Deus e por seu povo. O fim da história, nós conhecemos.

Com o passar dos anos e dos séculos, a atitude de Raabe foi lembrada por várias gerações até que ela veio a fazer parte da linhagem do Messias. Vejamos o que Tiago diz acerca dessa mulher: "Caso semelhante é o de Raabe [...]: não foi ela justificada pelas obras [mudança de atitude], quando acolheu os espias e os fez sair por outro caminho?" (Tiago 2.25, acréscimo da autora). A mudança de postura radical dessa mulher valente foi o primeiro passo para a cura e remissão de suas raízes, de sua descendência e até mesmo para a transformação do que a rodeava.

Em compensação, a falta de posicionamento ou a tomada de decisões fundamentadas no erro podem nos destruir. Do outro lado da avenida estão as pequenas concessões que podem criar brechas e permitir que influências nocivas e perigosas passem a dominar o seu caminho. Safira, que, diferentemente de Raabe, não é um bom exemplo a ser seguido, concordou com Ananias, seu marido, em contar uma mentirinha que parecia inocente. O resultado você já sabe (cf. Atos 5.1-10). A tolerância a pequenos erros mais tarde poderá minar a sua vitalidade e destruir as suas raízes; por isso, é melhor saber qual lado da pista queremos percorrer.

Eu sei, assumir uma nova postura nem sempre é fácil. Por esse motivo, você não pode se permitir ser intimidada nem influenciada negativamente. Proteja-se. Estabeleça limites claros para preservar a integridade das suas raízes.

Ao mesmo tempo em que se protege, abrace também a mudança com determinação e coragem, como fizeram Ester e Raabe. Reconheça que o poder de mudar as situações está dentro de você, não apenas por meio de escolhas conscientes e sábias, mas, principalmente, pela presença do Espírito Santo em sua vida. Portanto, não tenha medo. Posicione-se!

DIA 54

REFERÊNCIA OU INFLUÊNCIA

A figueira produz os primeiros frutos; as vinhas florescem e espalham sua fragrância. Levante-se, venha, minha querida; minha bela, venha comigo. (Cântico dos Cânticos 2.13)

Talvez nunca na História tivemos tantas influências e tão poucas referências, tamanha é a quantidade de influenciadores que fica até difícil saber qual escolher. É claro que eles podem ser bons ou ruins e têm o poder de nos levar a um bom ou mau caminho. As referências, por sua vez, dizem respeito ao ponto de partida e ao destino: de onde queremos sair e aonde almejamos chegar.

Certamente você já precisou que alguém lhe desse uma referência para poder chegar a um lugar específico: "Fica ao lado daquele prédio azul" ou: "Logo depois do posto de gasolina". Com esse tipo de orientação, você se sente mais segura para chegar ao seu destino. Desde o início, Deus tem levantado mulheres e homens como pontos de referência. Exercer influência é importante, mas ser uma boa referência, servir de parâmetro para outros e gerar crescimento saudável é muito melhor.

A figueira de Lucas 13, na parábola que tratamos bastante ao longo desses últimos dias, passou por um período de infertilidade, que quase lhe custou a vida. Embora não houvesse nada que a impedisse de frutificar, aquela árvore não produzia frutos. Nem mesmo na estação apropriada. Traçando um comparativo dessa parábola com a nossa própria vida, questiono-me: quantas vezes não somos como essa figueira sem referência, em meio às uvas, que estavam ao redor e poderiam influenciá-la? O vinho é conhecido por exercer influência por onde passa; prova disso é a pessoa que toma bebidas alcoólicas além da conta e acaba perdendo os sentidos e o decoro.

O texto de Cântico dos Cânticos nos ajuda a entender melhor essa ideia ao afirmar que a figueira produz os primeiros frutos da temporada e que, em seguida, as vinhas florescem e espalham sua fragrância; esperava-se que a figueira de Lucas 13 frutificasse antes que as videiras liberassem o aroma; contudo, como estava em período de desajuste, não pôde oferecer nada.

Independentemente do local onde estamos plantadas, se estamos no centro da vontade de Deus, temos de dar frutos na estação apropriada. Além disso, em vez de dependermos de outras influências, devemos buscar ser referência para outros. Ainda que estejamos cercadas pela interferência de uvas, não podemos permitir que a infertilidade roube a cena do que poderia ser um grande festival de flores, frutos e, consequentemente, de boas referências.

Mulher, quem sabe você se encontre sem muitas referências próximas neste momento. Ore ao Senhor e peça-lhe que guarde seu coração das más influências e coloque em sua vida as referências corretas. Mas não pare por aí. Peça-lhe também que trabalhe a tal ponto em suas raízes de modo que possa se tornar um modelo para outras figueiras.

DIA
55

O LEGADO: O CICLO QUE RECOMEÇA

[...] Meu filho, eu tinha no coração o propósito de construir um templo em honra do nome do Senhor, o meu Deus. [...] Mas veio a mim esta palavra do Senhor: [...] 'Você terá um filho [...]. É ele que vai construir um templo em honra do meu nome [...]'. (1 Crônicas 22.7-10)

A palavra "legado" tornou-se comum em nosso meio. Assim como Davi, em sua época, tentou edificar um templo para Deus e foi instruído a passar a execução do projeto para as mãos de seu filho Salomão, as nossas gerações também têm compreendido e recebido do Senhor a responsabilidade de deixar um legado.

Tal como sempre foi, nem tudo o que desejamos hoje se cumprirá durante o nosso período de vida, porque Deus pode preferir continuar a sua obra ao longo das futuras gerações. Nesse sentido, nós, mulheres geracionais, temos de ter consciência de que carregamos um legado e que devemos desenvolver a confiabilidade de passar o bastão para a geração seguinte de forma adequada.

Talvez algumas de nós nem soubéssemos da existência de um bastão ou, quem sabe, tivemos de pegá-lo do chão! Mas, nessa corrida de revezamento que é a nossa vida aqui na Terra, Deus está chamando você para deixar um legado, e o que hoje é o seu teto será o chão dos seus filhos — apesar do legado não se restringir aos nossos filhos, mas estender-se às pessoas que passam por nós. Dorcas é um exemplo desse tipo de legado. Antes de ser ressuscitada por Pedro, as mulheres vinham chorando até o apóstolo para mostrar-lhe as roupas que ela fizera (cf. Atos 9.36-41). Acredito que elas, e muitos outros que moravam na região, foram profundamente impactados pela vida de Dorcas, que entendeu o conceito de legado.

Em todas as gerações, o Senhor chama e convoca mulheres que levem transformação às suas próprias casas e às pessoas ao redor; mesmo que os frutos, como tais, sejam usufruídos pelas futuras gerações, o importante é plantar a semente e saber que ela será multiplicada, uma vez que dentro dela existe a possibilidade de germinação e frutificação. Começamos com uma semente e terminamos entregando sementes. Esta é a herança do Senhor.

Existe uma continuidade que não pode ser interrompida. A corrida de revezamento caracteriza-se justamente pela transferência do bastão ao atleta seguinte, que está à espera e tem consciência de que necessita continuar um ciclo que começou antes dele — porque todos temos, afinal, algo para contribuir nessa grande plantação.

O legado é como o revezamento, a transmissão, o rastro — algo que todas deixamos por onde quer que passemos. A pergunta é: que rastro você está deixando? Que rastro moral e espiritual você tem imprimido na sua casa? Que orações os seus filhos levarão para os filhos deles? Que práticas você deixará como marcas para os seus descendentes?

Hoje, a responsabilidade desse legado está sobre os seus ombros. Você tem a função de transmitir a boa semente ao coração das pessoas que Deus pôs sob os seus cuidados, sem se esquecer de que as sementes de agora carregam os frutos do amanhã, mesmo que você não os colha. O essencial é saber que você verá "os filhos dos seus filhos" (cf. Salmos 128.6) — o fruto de um legado que Deus depositou nas suas mãos.

DIA 56

PERMANECER É O SEGREDO

[...] eu os escolhi para irem e darem fruto, fruto que permaneça, a fim de que o Pai conceda a vocês o que pedirem em meu nome. (João 15.16)

Você chegou até aqui! Pela graça e amor de Deus, creio que a sua vida tenha sido transformada nessas oito semanas. Que jornada incrível! E você, que talvez sempre tenha tido dificuldades em terminar o que começou, pôde desenvolver seu processo de cura até chegar a este último dia de devocional. E é exatamente sobre isso que eu gostaria de tratar no fim deste livro: permanecer.

As palavras de Jesus aos discípulos, antes de partir para estar ao lado do Pai, serviram justamente para enfatizar a necessidade de produzir frutos que permaneçam. Cristo sabia que, em sua época, muitos frutificavam, mas nem todos os frutos eram bons ou permaneciam na verdade. A multiplicação dizia respeito a um segredo que só se descobre na prática do Reino, ou seja, *permanecendo*: somente a constância e a permanência nas raízes são capazes de produzir frutos dignos de transformação.

Um dos maiores objetivos de Jesus sempre foi, e ainda é, formar homens e mulheres capazes de permanecer nele e de multiplicar a boa semente da cura e da transformação. Isso significa que a jornada não deve acabar em você. É sua responsabilidade carregar seu legado e abençoar as pessoas com o que aprendeu até aqui – enquanto permanece em Cristo.

A Palavra nos diz: "Nos dias vindouros Jacó **lançará raízes**, Israel terá **botões e flores e encherá o mundo de frutos**" (Isaías 27.6 – grifo da autora). Com certeza, o Senhor já preparou uma grande festa para aqueles que permanecem, na qual estarão presentes lindos frutos e belas flores. Ele deseja encher o mundo de frutos e exalar um perfume de graça e alegria com os nossos botões em flor.

Existe um convite para mergulharmos em um nível mais profundo. Mas não se preocupe, você não estará sozinha, pois ele estará ao seu lado e sabe o que você pode suportar. Deus conhece a dose de fracasso ou sucesso que você aguenta sem romper ou quebrar. Talvez seja por isso que você tem pedido para ele derramar mais sobre a sua vida e usá-la com maior intensidade, e o silêncio tem sido a resposta do Pai. Porque ele derrama conforme a nossa capacidade.

Sua capacidade vai definir o que você tem recebido e ela não tem a ver com dons, habilidades e talentos, mas com a maturidade forjada no secreto, quando se é fiel ao pouco, ao pequeno. Sua fidelidade às coisas pequenas do dia a dia calibra seu coração para estar arraigado no lugar certo. Sua diligência com o pouco vai definir se você está preparada para o muito. Quem você é quando ninguém está olhando é a sua verdadeira essência. E falando em essência, ela é natural, e nunca forçada; genuína, e não copiada.

Antes de pedir mais, aumente sua capacidade, esvazie-se! Este é o segredo: "[...] dividindo-o de forma proporcional à **capacidade** deles: ao primeiro entregou cinco talentos; ao segundo, dois talentos; e ao último, um talento. Então foi viajar" (Mateus 25.15 – NVT, grifo da autora)

Hoje, o Espírito Santo nos ensina que fazemos parte do Israel de Deus, o povo escolhido, e nos chama a seguir ao seu lado, permanecendo fiéis até o fim. Meu desejo é que seu fruto não acabe após essas oito semanas, mas dê "boa colheita, a trinta, sessenta e cem por um" (cf. Marcos 4.20).

Permaneça firme, mulher. Acredite, vale a pena!

SEMANA 8
RAÍZES CURADAS FRUTIFICAM

FRUTIFICANDO

1 Depois desta jornada de oito semanas, quais aprendizados mais ecoam em seu coração e ajudam você a frutificar?

2 Qual devocional da semana mais impactou você? Por quê?

Filha, hoje estou convidando você a ouvir a minha voz. Quando conseguir calar todos os outros ruídos, você me reconhecerá. Andará na frente quando me obedecer, terá celeiros em tempos de escassez, verá caminhos em meio ao mar das circunstâncias adversas e entrará em lugares de renúncias que irão liberar o meu favor sobre sua vida.

Você começa recolhendo espigas como Rute, mas termina resgatada. É achada nos desertos das desistências como Moisés, mas atraio você novamente através das sarças que acendo. É escolhida por mim, quando ninguém a escolher. À semelhança de Abraão, é convidada a deixar a sua parentela e abraçar uma perspectiva nova a respeito de tudo. Como Josué, entre na terra das promessas e descubra que permanecer ali será um desafio maior do que você mesma.

Assim como Elias, veja nuvens de água em dias de sequidão e seja atraída para fora das cavernas do medo, através das brisas desconhecidas, mas irresistíveis. Como Neemias, não suporte as ruínas de seu povo, e de copeira se transforme em engenheira. Da mesma maneira que Ester, entre em minha presença, e meu cetro seja estendido a você.

Ainda há um longo caminho a ser percorrido, você precisará continuar andando ao meu lado para não se perder e será lembrada a todo instante que não é sobre você, mas sobre mim.

CONCLUSÃO

> *Ao contrário, sua satisfação está na lei do Senhor, e nessa lei medita dia e noite. É como árvore plantada à beira de águas correntes: Dá fruto no tempo certo e suas folhas não murcham. Tudo o que ele faz prospera!* (Salmos 1.2,3)

Toda árvore precisa de cuidados diários. Não importa a espécie, qualquer uma precisa de certa quantidade de água, luz solar, sombra e nutrientes do solo para crescer forte e saudável. Além disso, é muito provável que enfrente períodos de seca; para aquelas que possuem raízes profundas a chance de sobrevivência a esse tipo de estação é maior, pois serão capazes de saciar a sua sede alcançando maiores profundidades no solo, em busca de água.

Da mesma forma, também precisamos de pequenos cuidados diários e constantes para atingirmos maturidade emocional e espiritual, essenciais para o aprofundamento de nossas raízes. Necessitamos ser regadas todos os dias pela Palavra de Deus, absorver os nutrientes de sua presença sobrenatural e encontrar descanso na sombra das asas do Pai amoroso e fiel. Quando nos permitirmos estar enraizadas no amor do Senhor, seremos como a árvore descrita no primeiro capítulo do livro de Salmos, que frutifica no tempo certo e sua folhagem permanece viva.

De tempos em tempos, você precisará revisitar suas raízes e deixá-las à mostra, para que Jesus, o nosso bondoso Jardineiro, cuide e pode certas áreas — emoções, comportamentos, mentalidades e até mesmo relacionamentos — a fim de que seu crescimento possa progredir em direção ao propósito divino e exalar a beleza daquele que a criou desde a época de tenra semente.

Após essas oito semanas, tire alguns minutos e analise sua própria vida: como estão as suas raízes? Saudáveis? Estão inseridas em um bom solo, sendo nutridas e regadas constantemente? Não se esqueça de que para desenvolver raízes fortes e profundas, precisamos de constância e perseverança em Deus.

Mulher, oro para que você permaneça firmada nas verdades do Pai, plantada à beira de sua presença, sendo nutrida, aperfeiçoada e podada dia após dia, a fim de florescer e gerar bons frutos que alimentarão a outros e glorificarão o nome de Jesus. Por fim, encorajo-a com as palavras do apóstolo Paulo, e que a esperança de Deus seja o seu combustível para enfrentar todas as estações da vida: "Deixem que as raízes de vocês se aprofundem nele e extraiam dele a nutrição. Continuem crescendo no Senhor, e tornem-se fortes e vigorosos na fé, como foram ensinados. E que a vida de vocês transborde de alegria e gratidão" (2 Colossenses 2.7 — NBV-P).

Esta obra foi composta em *Latienne Pro*
e impressa por Gráfica Expressão e Arte sobre papel
Offset 75 g/m² para Editora Vida.